ておくれの現代社会論――○○(マルマル)と□□(カクカク)ロジー

目次

序　ておくれの現代社会論……1
「現代」を特別視してしまう我々　ておくれの時代としての現代　中村雄二郎の危機感
近代と現代の二重思考　社会の担い手としての「敗者」　「敗者」として現代を生きる

I　政治と向き合う、経済を見つめ直す　13

第1章　民主とメソドロジー……15
民主主義への二つの悲観論　劣勢に立たされる「終焉」論　民主主義という「方法」の
呪縛　「方法」の呪縛と逆説　「目的」を見失った我々　デカルトの形而上学を支える
「方法」　保守主義者デカルト?　「方法」に翻弄される末裔たち

第2章　成長とサイコロジー……27
サイコパスと呼ばれる人々　いわゆる「良心」が欠けている?　起業家と政治家に?
サイコパスと成長主義　成長主義と親和的なサイコパス　熱い共感を持てない社会
成長主義を克服するために

第3章　戦争とトポロジー……39
戦後日本は戦争を経験してきたのか　新しい戦争の正体とは　戦争の位相同型を捉える「やわらかい」幾何学＝トポロジー　「スマート兵器」の担い手は誰か　サイバー戦争を招く露出狂　道義的な実践を

第4章　経済とアポロジー……51
エリザベス女王の率直な疑問　経済学は害をなした？　経済学の豊かな可能性　限定合理性と不確実性のなかで　「知らない」という自覚　ソクラテスの「無知の知」　ラムズフェルドの「不知の知」

第5章　国家とアンソロポロジー……63
「おかしな」人とうしろめたさ　批判一辺倒から再構築へ　「線の引き方をずらす」とは　国家の「家」性を見つめ直す　「国家」を我が事として引き受ける　血縁にこだわらない日本の「イエ」　忘れられ捏造される「イエ」の歴史

第6章　福祉とセオロジー……75
「福祉」という言葉のイメージ　福祉の危機と個人主義　互助を支える「福祉の哲学」

神仏儒という「自然」観？　「神仏儒」の習合　「二間性」の自覚＝「福祉の哲学」

Ⅱ　文化を探る、味わう　87

第7章　空気とエコロジー　89
先生は「文化論は好きではない」と言った　「近代」というイデオロギー　「空気」を広めた山本七平　「空気」の支配の過剰化　山本七平の「空気」と「水」　「空気の支配」のリアリズム　情況に流される日本的啓蒙主義　いまだ答えのない日本の宿命

第8章　権利とアーケオロジー　101
不本意なタイムカプセル　墓の発掘も人類の使命か　考古学の罪と二つの権利　遺跡発掘調査の「野蛮」さ　「未来の権利」と「過去の権利」　「過去の権利」と欲望の正当化

第9章　情報とテクノロジー　113
か弱い赤ちゃんの秘密　「霊長」と化すデジタル情報技術　「ＩＴ」の意味を問い直す

ハイデガーの技術論とは　技術による「挑発」と科学の知　人間の「情報技術化」？

第10章　知能とオントロジー……125

何故人の顔を見分けられるのか　マイケル・ポランニーの「暗黙知」　分析知に偏重することの危険　暗黙知の矮小化とその原因　人工知能・自然知能・天然知能　「あなた」に対面する一・五人称的知性

第11章　芸術とエティモロジー……137

古さがかえって美を生む　Kawaii よりも先に輸出された Wabi-sabi　「さび」の三つの語源　三つの「さび」　「さび」は何故複眼の美学となるのか　矛盾に満ちた生はそのままで美しい

第12章　教育とアナロジー……149

デジタルとアナログ　連続的な量か、離散的な数値か　数値が正しいと思わない知　「アナログの知」とアナロジー　アブダクションとしてのアナロジー　「自由」な「探究」を育む　「もの」を介して「可謬」のプロになる

Ⅲ　思想にふれる、思想を生きる　161

第13章　信仰とバイオロジー……163
生物それぞれの「生きる論理」　自己・時間・存在を喪失させる「死」　二重の「論理」と「信仰」　「人間の論理」で「ヒトの論理」を乗り越える　自分が自己矛盾的な存在であること　「生きる論理」の絶対矛盾

第14章　正義とパソロジー……175
早期臨床実習と医療の三本の柱　病理学＝パソロジー　「パトスの学」としてのパトロギー　ロールズ正義論の大前提　平等を重視する「正義の味方」たち　現代正義論における「パトス」の軽視

第15章　倫理とトートロジー……187
よそはよそ、うちはうちです　無意味なはずが意味を持つ？　意味を定めていこうとする行為　XをXで再命名する　よそはうちではない、うちはよそではない　倫理的言

明が持つ両義性

第16章 偽装とコスモロジー……199
現代社会の不吉な特徴　現代は「真実以降」の時代　偽装の裏でオリジナルを信じる逆説　コンプラ疲れとファクトチェック　アンチコスモスとしてのカオス　偽装と擬装

第17章 暴力とアイディオロジー……211
「暴力はいけない」という暴力　主観的暴力と客観的暴力　リベラル・コミュニストが担う暴力　「システム的」暴力を暴力と呼んでいいのか？　法的暴力を原理的に批判するベンヤミン　イデオロギー的暴力批判の効用

第18章 災禍とソシオロジー……223
歴史の特異点としてのパンデミック　ソーシャル＝社交で見えてくるもの　「社交」復権の時代へ？　「礼節」から「礼儀」、そして「文明」へ　「技術」と「社会」の近代　「文明の再文化化」と新たな「個人」像　「社交」の復権か、「社会」への依存か

終　ミソロゴスの論理……235
タイトルの秘密　言葉遊びから現代社会を論じる　ロゴスへの信頼と不信　プラトンのミソロゴス論　理想を見失う未熟な精神　ミソロゴスを務め上げる

引用・参考文献……247
あとがき……253
人名・事項索引

序　ておくれの現代社会論

「現代」を特別視してしまう我々

現代社会において、最も重要な問題は何か。

皆さんはこのように問われたら何と答えるだろうか。大抵の人はあまりにも不躾かつ漠然とした質問に戸惑うだろうが、それでもしばらく考えた後でそれなりの回答をしてくれるのではないだろうか。その際、ある人は政治の腐敗に憤り、ある人は経済の低迷を憂い、またある人は現代人の心の荒廃を嘆くかも知れない。おそらくどの意見も一定程度頷ける内容を含んでおり、各論はともかく総論としては共感を覚えるような、重要な論点が提示されることだろう。

そして、人々のこうした答えが真剣であればあるほど、その背後には我々が生きている現代という時代に対する危機感のようなものが存在するに違いない。現代は未曾有の激動の時代、現代は価値観の転換期、現代社会はかつてなく混迷を極めている、などなど、とにかく現代は「ヤバイ」時代なのだという認識があるからこそ、人々は社会に起こっている様々な問題を深刻に受け止め、その抜本的な解決策を模索すべきなのだと険しい表情で語ることとなる。人間にとって最も重要な問題は、他でもないこの現代にこそ問われなければならない、というわけだ。

このような時代認識が全面的に間違っているとは思わないし、人々が社会に対して抱く深い憂慮がその場限りのポーズや見当違いのものだなどと言うつもりもない。しかし、落ち着いてよく考えてみると、これは少しおかしなことではないだろうか。我々は確かに現代を比類なき「ヤバイ」時代だと見なしがちだが、そんなことを言うのであれば過去の人々もまた、自分たちが生きた時代を同じように「ヤバイ」と感じていたのではないだろうか。何故なら我々にとっては「過去」でも、当時の人々にとってその時代こそが「現代」だったからだ。

更にそこから類推するに、未来の人々もまた、我々の生きている時代を「過去」と見なし、自分たちの生きる「現代」こそが「ヤバイ」時代だと考えるようになるだろう。そうだとすると、いつの時代も結局は誰かの「現代」なのであり、どの時代も「ヤバイ」ことになってしまわないだろうか。別に我々にとっての「現代」だけがとりたてて特権的に「ヤバイ」わけではない、ということになりはしないだろうか。

そういえば、古代エジプトの壁画に彫られた文字を解読してみるとそこには「近頃の若い者は……」と書かれていた、という笑い話をどこかで耳にしたことがある。真偽のほどはよくわからないが、ありそうな気もする話だ。いつの時代も年長者は若者に対して不満を抱き、その未熟さや愚かさを嘆く。だとすれば年長者の若者批判は老化に伴う典型的な諸症状の一つに過ぎず、その批判内容も妥当ではないということを、このエピソードはほのめかしている。

エジプトの壁画の話と同様に、現代社会に対する我々の危機感もまた、ただの勘違いか取り越し苦労なのだろうか。人は自分の生きている時代をやたらと特別視、それも悲観的な方向に特別視してしまうだけで、別に現代は未曾有の激動にも価値観の転換にも遭遇していないし、混迷を極めてなどいないのであろうか。確かにそういう見方もあり得るだろう。今の世の中に何の問題もないとはさすがに言わないが、問題のない時代なんてものはない。その時その時なりの課題を抱えながら、我々は粛々と生きていけばいい――それもまた一つの真理ではありそうだ。

ておくれの時代としての現代

このような冷静な見方からすれば、今の時代をやたらとスキャンダラスに描こうとする現代社会論の大仰さは滑稽に思われるだろう。いやそれどころか、無闇に人々の危機感を煽る詐欺的な「商法」とすら映るかも知れない。人々の不安につけこんで怪しげな健康商品を売りつけようとする営業部員のように、現代社会論の論客たちは現代を異常な時代に仕立て上げることで読者の関心を集めて人気を得ようとする。まんまとその口車に乗せられて右往左往し、危機感ばかりが募る一方の哀れな現代人たちは、どうすればこの恐ろしい時代を乗り越えられるかわからないまま、愚にもつかない別の現代社会論に耳を傾けることとなる。不毛としか言いようのない事態だ。

そういうわけで、こんな本を読んでいる暇があるなら、さっさとページを閉じてもっと有益なことをした方がいい……と言いたくもなるが、それは少しだけ待って欲しい。現代を不用意に特別視する態度はどこか胡散臭く、その観点から展開される現代社会論が冗漫で空疎な議論に思えること、それ自体は決しておかしなことではない。ただ、現代社会を考える上で、まだ十分に検討されていない立場があるように思われる。それは、現代を危機の時代と見るのでも、ありふれた時代と見るのでもない立場、つまり危機を云々するタイミングなどとっくに過ぎてしまった時代だと見なす立場である。我々は未曾有の激動を既に経験してきたのに、それに翻弄されるだけに終わった。価値観の転換を迎えていたにもかかわらず、それに上手く対応できなかった。混迷を極める時代はもはや過去となり、我々の失敗は残念ながら現代において決定的となった。「ヤバイ」などと騒いでも「ておくれ」な時代、それが現代だ。どうだろう、このような「現代観」を持つ人々は果たしてどれくらいいるだろうか。あまりにも悲観的な時代認識だと思われるかも知れない。そもそも、そんな風に現代を捉えて何の意味があるのかといぶかしむ人もいるかも知れない。しかし、だからと言ってこのような見方を簡単に斥けてもよいだろうか。

中村雄二郎の危機感

現代は本当にておくれの時代なのか。このことを考えてみるために、一つ例を挙げよう。哲学者の中村雄二郎と人類学者の山口昌男が共著で発表した『知の旅への誘い』の中で、前書きを担当した中村雄二郎は「現代」の知的状況について、このように概括している。

現在広く人々の間で、〈知〉の革新あるいは活性化が、いよいよ切実に求められてきている。ということは、ただ単に、時代の大きな転換期のなかで重層的な現実が提起してくるさまざまな根深い問題を既成の諸学問や諸理論が十分に受けとめえないことを示しているだけではない。学問や理論の現段階がふつうの意味で現実に遅れをとっていることを示しているだけではない。それとともに、学問や理論というものの在り様そのもの――とくに硬直した糞真面目主義、身体性や深層の現実に対する無感覚など――が根元から問いなおされていることを示しているのである。

中村にはいささか失礼な物言いになるが、この文章には先程「現代社会論の大仰さ」と呼んだものが次々と登場しているのがおわかりだろう。「いよいよ切実に求められてきている」「時代の大きな転換期」「根元から問いなおされている」など、まさに「ヤバイ」現代に対する危機感のオンパレードである。ユニークどころか、いかにも典型的な書きぶりだと言える。

しかし、その後の主張を追っていくと、それほど笑ってもいられない気分になってくる。彼は昨今の学問や理論における専門分化の弊害や権威主義的傾向など、これもある意味でよくある批判に言及した上で、こう続けるのだ。

それにしても、学問や理論の多くが自己革新力を失い創造性をなくしたというのは、よく考えてみればおかしなことである。というのは、学問や理論――つまりは〈知〉――とはもともと、なによりも、私たち人間が自己を超えていくためのもの、その意味ですぐれて自己革新的、創造的な営みであったはずだからである。学問や理論は、人間の生そのものと同じく自己革新力をもっていたはずだからであり、自由でのびやかなものだったはずだからである。

もっとも、一般には学問や理論はそのように自由でのびやかなものとは考えられず、むしろ、ひたすら体系的で確固不動なものであるべきだと見なされている。しかし実は、学問や理論にあってその体系性や不動性とは、思考の運動を自由でのびやかなものにするための仕掛けとしてあるのである。したがって、学問や理論を以てもっぱら体系的で確固不動なものと見なすことは、あたかも音楽において、五線譜に書きとめられたオーケストラの楽譜を演奏＝パフォーマンスと取りちがえたようなものなのである。

これもまた、いかにもありがちな議論だと片付けることもできなくはない。だが、敢えて中村の議論に騙されてみるならば、我々を取り巻く知的状況はここで批判された通りではないだろうか。我々は数値化されたデータや記録された文書、つまり「楽譜」を、我々の生そのものの躍動、「演奏＝パフォーマンス」と取り違えているにもかかわらず、ますます学問・理論の体系性や不動性に絡め取られて「楽譜」に執着してしまう。「糞真面目主義」では現実の状況には対応できないのに、現実を直視するのではなく「楽譜」の方ばかりを見てしまう。何のための学問・理論なのかは忘却されてしまうのだ。

ところで、『知の旅への誘い』が発表されたのは一九八一年のことである。中村が知の現状に危機感を覚え、この文章を書いた「現代」は、既に何十年も昔のことなのだ。そうだとすると、我々にとっての「現代」はあの頃の中村にとっての「現代」からはどう映るのだろうか。もうおわかりだろう。あちらから見れば、現代はておくれに映っても全く不思議ではないのである。

先人たちの当時の危機感が現代の我々にとっても妥当に思える時、実は我々は自分たちがておくれの時代を生きていることを認識せざるを得ない。これは悲観的な考えなどではない。現実を直視しているに過ぎないのだ。

近代と現代の二重思考

我々現代人は、自分たちが生きているこの時代を比類なき激動の時代だと捉えるような議論に興じ続けてきた。現代社会論を語る側も受け取る側も大袈裟なまでに危機感を募らせて、この未曾有の難局を乗り越えるにはどうしたらいいかと騒ぎ立ててきた。しかし、落ち着いて考えてみればこのような議論はこれまでも連綿と続いてきたのであり、過去を生きた人々はそれぞれの「現代」を憂慮してきたのだった。我々は健忘症であるかの如く、先人たちが鳴らしてきた警鐘を聞き逃し続けてきたのである。

そして残念なことに、先人たちがその時々に繰り広げた現代社会論が傾聴に値するものであればあるほど、それはとりも直さず、我々が生きるこの現代が「ておくれ」である可能性が高いことを示唆している。危機感を云々するタイミングはとっくに過ぎ去ってしまった。気がつけば我々は、価値観の転換や難局の克服に失敗していたのだ。あまりにも悲観的な時代認識だと非難されるかも知れないが、過去の警鐘を真剣に受け止めるならば、ておくれであることの自覚を持たない方が不自然であり、現実逃避的な態度ではないだろうか。

思えば近代とは、人間の理性を信頼し、社会の進歩を疑わず、バラ色の未来を夢見る時代のことだと言える。近代の起源とはどの時点か、いつから近代が始まったのかといった厳密な議論はさておき、理性と進歩と未来を信じている時、我々は今も近代的に思考しているし近代を生きている。

しかし、そのような素朴な信仰に浸り続けていられるほど現実の歴史は甘くなかった。近代的な思考や諸制度は人間を豊かにする一方で悩ませてもきた。近代的に生きてきたにもかかわらず、ではなく、近代的に生きてきたからこそ、人々は自分たちの生について底知れない不安を感じざるを得なくなった。理性と進歩と未来を信じることが近代的な思考の特徴だとすれば、それらに不安や疑念を抱くことが現代的な思考の特徴だと言える。近代と現代はどこかで明確に線引きできるようなものではなく、我々は近代を生きながら同時に現代をも生きているのである。

　現代社会論が盛り上がっては忘れられてきたのも、近代と現代を生きる我々のこの二重思考が原因だと言うことができる。近代的な価値がそのまま有効なものだとは信じられないから、我々は現代を混迷の時代だと見なし、そこから脱出するために価値観の転換を提唱してきた。しかしその一方で、我々は近代的な思考と手を切ることもできないから、過去の現代社会論が提示した課題をついつい克服済みと勘違いして忘却してしまう。自分たちが抱えている不安の方が先人たちよりも進歩した、高度な不安かのように思い込んでいるのだ。これは不健全かつ愚かしい態度と言わざるを得ない。

　もっと素面（しらふ）な心持ちで、現実を直視することはできないものか。ここで、現代をておくれの時代だと見なすという立場がどうしても重要になってくる。今がておくれだということは、これまで近代を疑ってきた人々の感覚は正しかったということでもある。先人たちの不安をないがしろにせず、その眼差しを共有しようという意志があるからこそ、ておくれだという自覚も生まれる。だが、この自覚は、先人たちの警鐘をないがしろにしたという事実を受け止めることでもある。眼差しを共有するとは言ったが、立っている場所は共有しようがない。我々は事態がより悪化している地点にいるのだ。それもどうしようもないほど悪化した地点、ておくれの地点に。

　いやいや、別にそこまで極端な見方をする必要はないのではないか、と思う人もいるかも知れない。ておくれだと言うが、まだ大丈夫、まだ間に合うと考えて何がいけないのか。ておくれなどと決めつけるより、もっと前向きな気持ちで現状を見つめ直す方が健全なのではないか。もちろんそうした意見が起こるのはよくわかる。しかし、それでは結局、我々はまた健忘症に逆戻りするだけのように思われる。まだ大丈夫、間に合うと思うのは、これまでの現代社会論が伝えようとしてきた深刻なメッセージを微温的なものへと貶めて、再び忘却の彼方へと追いやるだけだからだ。

社会の担い手としての「敗者」

先ほど紹介した『知の旅への誘い』の、もう一人の共著者である人類学者の山口昌男は、バブル崩壊に浮き足立つ九〇年代初頭に『「挫折」の昭和史』と『「敗者」の精神史』という労作を立て続けに発表したことでも知られる。山口は通常の人類学の領域を逸脱した歴史人類学という手法を用いて、明治から昭和初期にかけての日本の実像を描写しようとしたのだが、それにしても刺激的なのは書名に並ぶ「挫折」「敗者」の二語である。

普通、「挫折」や「敗者」が研究テーマとなる場合、当たり前のことではあるがこれらの概念にはネガティブな評価が与えられて、その原因や敗因が究明されるものだ。またはその延長上の問題意識として、ひとたび「挫折」や「敗者」の烙印を押された人々がそこからどのように立ち直ったか、ネガティブな評価を受けた経験から何を学んだかが描かれることも多い。しかし、山口はそのようなつもりで「挫折」や「敗者」を取り上げたのではなかった。彼はあくまでこれらを厳然たる歴史的事実と見なした上で、「挫折」を味わい「敗者」となった人々が形成してきた、近代日本の隠された姿を明らかにしようと考えたのだ。

『「挫折」の昭和史』のあとがきで山口は、「日本近代で一度政治的に敗北したか、あるいは近代の隊列から横へ足を踏み出した人物たちの中に、日本人の生き方のもう一つの可能性を探り出せる鍵が秘められているのではないか」というのが執筆の目的だったと述べている。ここからもわかるように、山口がさしあたって「挫折」と呼んでいるのは広義の政治・権力闘争におけるそれであり、「敗者」とはその闘争に負けた者たちのことである。

それでは何故、山口はこうした「敗者」に着目するのか。それは、こうした人々は「挫折」したからこそ、「階層秩序に編成されること、分類されて上下関係の網の目に組み込まれることを拒否して、自らを開かれた状態に置いておく精神」を備えていたからである。このような柔軟な精神を持ち得た人々に、山口は「日本人の生き方のもう一つの可能性」を見出そうとしたのだ。

彼の構想は、続編にあたる『「敗者」の精神史』において更に先鋭化する。こちらでは、「日本近代の公的な世界の建設のかたわらに、公的世界のヒエラルヒーを避けて、自発的な繋がりで、別の日本、もう一つの日本、見えない日本をつくりあげて来た人がいたということ」が主題だったと書いているのだが、これは「敗者」たちが単に柔軟な精神を持っていただけでなく、歴史の表舞台からは見えなくとも、間違いなく近代日本を支えてきたということを意味している。

つまり、「日本人の生き方のもう一つの可能性」とは、単に闘争の世界からドロップアウトして歴史のアウトサイダーとして生きるということではなく、「勝者」とは全く異なる形で社会の担い手になることである。当然のことではあるが、闘争の世界において「勝者」であり続ける者と「敗者」へと転落する者では、後者の方が圧倒的に多い。それならば、現代社会のあり方について真剣に考えようとすればするほど参考にしなければならないのは、「勝者」ではなく「敗者」の視点のはずなのである。

しかし、我々が「敗者」から学んでこなかった事実に関して、山口は不吉にすら思えることを述べている。

第二次大戦に敗れた日本人の中からこの敗者の視点が出て来なかったのは不思議という外はない。勝者に自己同一化し、こっそりと藩閥政府が作りあげたヒエラルヒーを温存するための組織を復活し、がむしゃらに突っ走り、破綻を来したのが今日の日本人の姿である。頭を冷やして、心から納得のいく生き方を探し出す作業の手がかりとして、本書において対象とした人たちのモデル（範型）を見つめるのは決して無駄なことではない。

いや敢えて言えば、そうした無駄こそが我々が必要としているものであるかも知れない。

これが書かれたのがバブル崩壊の衝撃も覚めやらぬ九〇年代初頭のことだということを、改めて思い出してみて欲しい。どうだろう、我々は未だに「勝者に自己同一化」してはいないだろうか。旧体制が作り上げた「ヒエラルヒーを温存するための組織を復活」させてはいないだろうか。硬直した思考のままに、「がむしゃらに突っ走り、破綻を来たし」てはいないだろうか。山口は「敗者の視点」を「二十一世紀に日本が生き残るために見習わなければならない」とも述べているのだが、二一世紀を迎えて久しい現在、我々は生き残るどころか死に急ぐかのように山口が批判した道を突き進んでいるように見える。

「敗者」として現代を生きる

我々が「敗者」から学んでこなかったのは、おそらく自分たち自身が「敗者」だという自覚がないからである。まだ大丈夫、まだ間に合うなどと言って現実から目をそらし、浮ついた危機感だけを口にしてはすぐに忘れてしまうのは、「敗者」である自分を直視できないからに他ならない。逆に言えば、自身もまた「敗者」の系譜に並んでいることを自覚しなければ、その上で過去の「敗者」が何を考え、どのように行動してきたのかを虚心に学ぶことなどできないだろう。

ここで敢えて、自分たちの生きている時代を特別視する愚を犯すことを許してもらうならば、我々が生きるこの現代ほど「勝者」なきゲームに晒されている時代はないのではないだろうか。そしてそれはここ日本に限った話ではなく、世界全体を覆う事態のように思われる。大多数が「敗者」として生きているにもかかわらず、そのことを否認しながら終わりなき不安にさいなまれる時代を、ておくれの時代と呼ばずに何と呼ぶべきだろうか。

我々はておくれとなった現代を受け入れなければならない。それは絶望し、何もかもを諦めることではない。山口の言葉を借りるならば、それは頭を冷やすことであり、心から納得のいく生き方を探し出そうとすることである。現代社会を語る言葉は、ておくれであることの自覚を経由してはじめて、生きるに値する生き方とは何かを我々自ら切り開くための手がかりと変わる。ひょっとすると、その時「ておくれ」は、限りなく「でおくれ」に近づくのかも知れない。

Ⅰ　政治と向き合う、経済を見つめ直す

トポロジーの視点では、どちらも立体の中に穴があいている
同じような物体（第３章　戦争とトポロジー）

第1章　民主とメソドロジー

民主主義への二つの悲観論

政治・社会思想史の研究者である森政稔はその著書『迷走する民主主義』の中で、欧米を中心に近年、民主主義についての悲観論が強まっていると述べている。普通選挙や議会制など、一般的に民主的だとされる政治制度が世界中に広まり、漠然とした観念としての民主主義に対して公然と反対を唱える人は少数派に過ぎないにもかかわらず、民主主義への失望が声高に語られているというのである。確かに、「選挙なんて行っても仕方ない」と冷笑的なことを口にする人はいくらでもいるだろうが、「だから選挙制度なんてものは無くしてしまおう」とまで主張する人はそうそういないし、「自分は反民主主義者だ」と堂々と宣言する人がいたとしても、それは民主的な社会では言論の自由が守られているから可能なのであって、その意味ではこの自称「反民主主義者」も民主主義の恩恵を大いに受けている。その理念や制度が広まり常態化したという意味では民主主義は勝利したはずなのに、人々の信頼を失っているという意味では敗北しつつあるという逆説がそこにはある。

森は更にこうした悲観論を、「民主主義の終焉」論と「民主主義の過剰」論の二つに分けて説明しているのだが、これは非常に乱暴に言えば前者が「左派」的な視点、後者が「右派」的な視点だと言える。「民主主義の終焉」論者は、民主主義が高度に発展した資本主義に従属的となっていることを問題視する。「生産者」というよりむしろ「消費者」的主体へと変質した市民が、民主的な手続きを通じて新自由主義的政策を支持することで社会的不平等と格差を広げてしまい、ますます民主主義の力を削いでしまうと主張する。

その一方で、「民主主義の過剰」論者は民主主義と資本主義を表裏一体のものだと捉える。彼らによると、消費社会における欲望の増大や公共心の衰退は、民主化およびそれに伴う社会の平準化によって引き起こされたものである。人々は政府が自分たちの私的欲求を満足させてくれないとクレーマー化するが、かと言って主体的に政治を担うには公共心が欠けているため、不満を一気に解決してくれるような強い権力者を求める。そして、民主主義は結局は独裁へと傾く、と主張するのである。

この二つの立場は、資本主義の暴走と新自由主義的政策を批判する点では共通しているが、民主主義を善玉とするか悪玉に据えるかにおいて鋭く対立しているように見える。森は両者が用いる民主主義概念の相違にその原因を求めている。つまり、「終焉」論者が民主主義のことを、資本主義に代表される社会的現実に対抗する規範や理念だと考えているのに対して、「過剰」論者は民主主義のことをまさにその社会的現実そのもの、社会が向かっている傾向として見ているという。それは確かにその通りなのだが、そもそも同じ民主主義という言葉が何故こうも対立的な概念として想起されてしまうのかを、よく考えてみる必要がある。

劣勢に立たされる「終焉」論

例えばこれがヨーロッパ社会で階級対立が顕在的であった時代の議論であれば、両陣営がどの社会集団に属しているかによって民主主義に対する心理的距離を説明することはもっと容易であった。いわゆる「左派」は、恵まれない貧しい者たちを代弁する側としてこれから実現していくべき民主主義の理念を擁護するのが当然だっただろうし、「右派」は自分たちの価値観や既得権益に挑戦してくるこうした勢力を眼前の敵だと見なし、民主主義というものをより実体化した現実として憎んだことだろう。しかし、現代の欧米諸国や日本ではどうだろうか。グローバルに展開する未曾有の格差社会という現実を顧みると、こうした社会対立がとっくに解消され過去の遺物になったなどという楽観的な見方はできないまでも、少なくとも民主主義に基づいた制度や文化がこれほどまでに社会に定着した時代はないのではないか。

もし仮にそうだとすると、ある意味では非常に奇妙なことに、実は「終焉」論の方がこの争いでは分が悪いように見える。民主化の進んだ社会において、民主的な手続きによって民主主義が縮小していることを「民主主義の終焉」と呼んで嘆いたり批判したりするのは随分と虫のいい話だからだ。それよりも、民主主義の進展を敵視し警戒してきた「過剰」論の方が、事実認識の面でも思想的一貫性においてもまさっていると言わざるを得ない。それは、民主主義が良いものとされ続けてきたこれまでの一般的通念からすると、あまりにも意外かつ苦々しい結果だと言える。

「終焉」論より「過剰」論の方が説得的であるということは、裏を返せば規範や理念としての民主主義というビジョンが有効性を持たないことを意味している。「民主主義を推進しろ」「民主主義を守れ」とどんなに叫んでも、これほど民主主義が栄えた時代にその声は空しく響かざるを得ない。しかし、そもそもである。ここで敢えて「終焉」論者の意見に従って、制度的現実としての民主主義が理念としての民主主義を封殺しようとしているとしよう。では、そこで封殺されつつある民主主義の理念とは実際にはどのようなものなのか。より公正な選挙だろうか。より開かれた議論だろうか。それとも、よりいき届いた福祉だろうか。

民主主義という「方法」の呪縛

ここに民主主義の抱える大きな問題がある。それは、民主主義の理念などと言ってもそれは所詮手続き、つまり「方法」に関する理念に過ぎないという問題である。当たり前と言えばあまりに当たり前だが、民主主義とはまずは人民の意見を政治に反映し、その決定に人民が従うという政治体制のことであり、人民の意見は多様かつ流動的なのでその政治体制のもとでは政策決定も多様化し流動化する。だから、公正な選挙を求めることもあれば選挙の停止を求めることもでき、自由な言論を促進することもあれば言論を制限することもでき、福祉を拡充することもあれば福祉を縮小することもできるのである。しかも、その極端なスイングは、選挙結果を重視し言論の自由を許し人民の福祉が優先されるほど大きくなる。「過剰」論者はこうした民主主義の持つ放埒さに警戒してきたのだ。

それにもかかわらず「終焉」論者は、こうした性質を持つ民主主義を称揚しつつ、それが自己破壊的に作用することを批判するというダブルスタンダードを採ってしまう。話は逆であり、民主主義は自己破壊を許すほど気前の良い「方法」であり、それがここまで普遍化したからこそ自己破壊も徹底的になったのだ。彼らはむしろ自分たちが支持してきた民主主義の理念を誇るべきとさえ言える。もちろん、「終焉」論者がそのような意見に従うはずはない。しかし、そうだとすれば彼らが本当に大事だと考えてきたのは民主主義そのものではないと認めるべきだろう。民主主義が（彼らが望む方向で）上手く機能するために必要な規範や理念、民主主義を支える前提こそが大事だったのである。これは民主主義という「方法」の擁護者の多くもたびたび言及していたことであり、何も目新しい主張ではない。それなのに、ここに来て民主主義に対してここまで失望感が高まっているということは、口ではカッコつけていてもやはり多くの人々は民主主義そのものをいつの間にか理想化してしまっていたのだ。

「方法」の呪縛と逆説

民主主義は「終焉」どころか「過剰」化しているという見解の方に説得力があり、民主主義はあくまで「方法」に過ぎないのだとすれば、要するに我々が採るべき道は民主主義という「方法」を抑制することだということになりそうなのだが、一体それはどうすれば可能なのだろうか。厄介なのはここからである。まず、「終焉」論者の末路は「過剰」論者が危惧していた一種の民主独裁への道である。「終焉」論者は民主主義の理念を守るという目的のために、資本主義に毒された「方法」を否定できる強い指導者を「方法」を通じて選ぶという、倒錯的な状況を待望することになる。しかし、民主主義という「方法」を徹底した先に現れる「方法」の否定は、二〇世紀において全体主義の悪夢として結実した。そのため、結局戦後の民主主義陣営に属する人々はその反省もあって「方法」の否定は禁じ手だと考えるに至った。権力の濫用に対する足枷としての憲法を重視する、いわゆる「立憲主義」の議論なども、まさにこうした「方法」の否定を防止することを前提にしていたと言えるだろう。それにもかかわらず、現代になってまたこうした民主独裁の可能性が世界的に浮上してきたことは見逃せない現象であり、少なくとも「リーダーシップ」「ポピュリズム」などの言葉の裏には、民主主義を通じた民主主義の抑制という禁じ手が「方法」として再検討されていることが暗示されている。

それに対して、「過剰」論の方はどうか。こちらは民主的な価値を批判する際、一般的には歴史・文化・慣習といった伝統的価値の見直しを強く要求する。しかしその際、「過剰」論者が実効的な権力を得るためには結局は従来の「右派」がそうであるように、経済的社会的有力者層と結託することとなる。そして現代においてその有力者とは巨大な資本や新自由主義的政策担当者である以上、「過剰」論者は民主主義と資本主義は表裏一体だと考えておきながら資本に一生懸命尻尾を振ることとなる。アメリカにおける「新保守主義」と呼ばれるグループは、まさにこうした形で宗教保守としての顔と利潤追求の顔の両面を持つこととなった。「過剰」論者はむしろ体制擁護の思想として民主主義という「方法」の恩恵を受けることになってしまうのである。

おわかりだろうか。つまり、「終焉」論者は事実認識と思想的一貫性において敗北していたはずなのに、むしろ見事なまでに「民主主義の終焉」をお膳立てしている一方で、「過剰」論者はあれだけ民主主義の問題性を説き続けておきながら自身が「民主主義の過剰」を維持しようとする愚を犯しているのである。そして、「過剰」論に有利な形ではあるが二者は相補的な関係にある。「終焉」論者が民主独裁を望めば望むほど「過剰」論者は民主主義を擁護し、「過剰」論者が守る民主主義を「終焉」論者は否定しようとますます躍起になる。ただし、どちらも民主主義という「方法」を通じた形で。民主主義は「方法」に過ぎないはずなのに、我々はその「方法」から手を切ることができない。実は本当の問題は民主主義なのではない。我々が「方法」に囚われ、「方法」を考えることしかできなくなっていうことこそが問題なのだ。

では一体、何故そうだと言えるのだろうか。結論から言えば、それは我々が普遍的で確固とした生きる「目的」を持ち得ないからである。生きる

「目的」を見失った我々

「目的」などと言えば、人によって様々な意見があるだろうし、それこそ「目的」などないと答える人もいるだろう。そこに宗教的なニュアンスを感じ取る人もいれば、家族・仲間・共同体などへの愛着をイメージする人もいるだろう。しかし何にせよ、その「目的」は容易に一致することはなく、各人にとっても常に不安定な、頼りないものとして映る。だからこそ人は常に迷い、苦しみ、そして相争う。そして確かな「目的」を見失った我々には、「目的」も定まらないまま「方法」を探求せざるを得ないという、極めて歪な選択肢しか残されていないのだ。

「目的」もわからないのにどうやって「方法」のことを考えることができるのか。そう訝しむ人もいるかも知れないが、胸に手を当ててよく考えてみれば、我々の暮らしはそんなものばかりでできているのではないだろうか。何のためになるのかわからないがとりあえず勉強して、何のためになるのかわからないがとりあえず働いて金を稼ぐ。とりあえず長生きするために健康に気を遣い、とりあえず便利に過ごすために新しいテクノロジーに適応する。生きる「目的」はさておき、とりあえず生きる「方法」だけが発達していく。しかし、これはただ単に虚無的なあり方だとも言い切れない。「方法」が発達し、「方法」が優れたものへと研ぎ澄まされていけばいくほど、真の「目的」とは何なのかがわかってくるのではないか。光によって作られるはずの影を丹念に追うことで、光源を探り当てることができるのではないか。どこかいじらしくもあるこうした期待が、「方法」に対する執着に繋がって

きたのだ。そして「目的」を求める旅はいつのまにか「方法」を求める旅となり、気がつけば「方法」が「目的」化してしまう。肝心の「目的」はますますわからなくなっているにもかかわらず。

デカルトの形而上学を支える「方法」

「方法」依存症と呼ぶことができそうな我々の生き方は、どこに端を発するのか。それを考える時、近代合理主義の先駆的存在であるデカルトの名前が挙がるのは不思議ではないだろう。『方法序説』などという本を出しておいて、その著者である彼が「方法」に執着していなかったはずがない。ちなみに正式な題名は、『理性を正しく導き、学問において真理を探求するための方法序説。加えて、その方法の試みである屈折光学、気象学、幾何学』と、結構長い。『方法序説』として広く知られているものは実はその序文に過ぎず、本論は自然科学の論文集となっている。しかし、この序文こそがその後のヨーロッパおよび世界全体に大きな影響を与える、近代的精神の所信表明演説となったのである。

デカルトはこの書の中で、あまりにも有名な「我思う、ゆえに我あり」という哲学的立場を表明し、更にそれを基礎として神の存在証明を試みることとなるが、このプロセスは彼の形而上学を支える「方法」によって導き出されていく。そう、方法的懐疑である。彼は形而上学のようにひどく抽象的な学問において確かな基礎を打ち立てるためには、少しでも疑いをかけることができるものは虚偽として廃棄し、絶対的に疑い得ないものが残るまで徹底的に疑うという「方法」が必要だと考えた。ただし、デカルトは、こうした方法的懐疑に対する誤解を払拭しようとしてこんなことを言っている。

しかし、だからといってわたしは、疑うためにだけ疑い、つねに非決定でいようとする懐疑論者たちを真似たわけではない。それどころか、わたしの計画は、自ら確信を得ること、緩い土や砂を取りのけて、岩や粘土を見つけだすことだけを目ざしていたからだ。

デカルトにとって徹底的に懐疑することとは、確かな真理を発見するという大いなる「目的」のための「方法」に過ぎないというのだ。彼は「方法」を「目的」と混同したかのような怠惰な懐疑論者を批判し、自分の方法的懐疑を擁護しようとする。そして絶対に疑い得ない基盤としての考える我、コギトとしての我を発見してこの「方法」が「目的」を達成したことを宣言する。しかし、この方法的懐疑という「方法」は、明らかに普通の「方法」とは一線を画している。デカルト自身は我と神の存在の確かさに安心することができた。デカルトはそこで一旦「方法」の成功に満足することができた。それでは、デカルト以降の我々ではどうだろうか。「我思う、ゆえに我あり」をそのまま信じることができるだろうか。デカルトのどこか形式的で安直な神の存在証明に説得されるだろうか。こうして方法的懐疑は彼の手を離れ、コギトも、神も、形而上学という営みそのものも、懐疑の俎上に乗せられてしまう。方法的懐疑は「目的」のための「方法」から、「目的」なき「方法」へと滑らかに飛躍してしまうのだ。

保守主義者デカルト？

デカルトは『方法序説』の正式な題名にもあったように、方法的懐疑をあくまで学問的真理を探求するための「方法」だと考えていたのであって、生活全体にその「方法」を及ぼそうとしていた訳ではない。その証拠に、デカルトはこの本の第三部で、学問についてではなく実生活において幸福に生きるための道徳的な格率（指針となる基準）について論じている。彼が挙げる格率とは、以下のようなものである。第一の格率は、自分の国の法律と慣習、特に極端ではなく穏健な意見に従うこと。第二は、行動する上で自分が一度決めた方針には一貫して従うこと。第三は、世界の秩序よりも自分の欲望を変えるように努め、運命を受け入れ自分が自由にできるものは自分の思想だけだと考えること。そして最後の格率は、世の中の人が携わっている様々な仕事をひととおり見直した上で、自分にとって最善の仕事を選び出すことである。

こうした道徳的生活についての考え方を見る限り、ラディカルな懐疑論者と見まがうばかりのデカルトの姿はそこにはない。それどころか極めて慎重で、一種の保守主義者のようにさえ見える。慣習や良識を重視し、極端は嫌うが首尾一貫した態度をとり、世界を自分の思い通りに変えられるとは望まない。まるでイギリス保守主義の祖バークが言いそうなことを、彼は自身の道徳と見なしている。

ただ、こうした記述については、当時デカルトたち哲学者や科学者が置かれていた時代状況もよく加味して考えなければならないだろう。デカルトが活躍した一七世紀前半のヨーロッパでは、地動説に代表される新しい科学が反宗教改革によって厳しく弾圧されており、理性の力を信じ従来の権威を疑うことが命の危険に繋がりかねないような時代であった。そう考えると、穏健な道徳的態度を説くこの『方法序説』第三部は、あくまで一種のカムフラージュに過ぎなかったのかも知れない。しかし、たとえデカルトの真意がどこにあったにせよ、彼が日常生活における道徳に対しては、暫定的であれ懐疑という「方法」を抑制する議論を展開していたことに間違いはない。

「方法」に翻弄される末裔たち

それでは、現代に生きる我々はどうだろうか。日々の生活において、穏健な道徳を保つことはできているだろうか。政治・経済・社会に関するあらゆる問題に対して、懐疑という「方法」をある程度抑制することはできているだろうか。慣習に従い、極端な態度変更を避け、世界を思い通りに改革できるなどという思い上がりを抑えることはできているだろうか。こう考えてみると、民主主義とはまさに、デカルトが打ち立てた懐疑の精神とその「方法」が人間の営み全体に応用されてしまった、そんな社会を象徴するシステムだとすら思えてくる。民主主義はこれまでの法や慣習を疑い、「民意」によって極端な方向転換をいくらでも可能にし、人民の欲望を満足させることができないものがたちまち批判に晒されるような制度だからだ。

そして、民主主義に対して悲観論を唱えていた二つのグループもまた、懐疑という「方法」に翻弄されるデカルトの末裔だということができる。民主主義の自己破壊性を嘆くあまり、民主独裁という極論に走りかねない「終焉」論者とは、コギトも神も形而上学も疑い尽くしてしまうような「方法」に疲れ果てたタイプの末裔である。また、民主主義を警戒し保守的な道徳を説きながら、結局は民主主義体制を擁護してしまう「過剰」論者は、いったんは懐疑という「方法」を相対化しておきながら、仮初めの道徳的格率を「方法」で上書きしてしまい、結局は自らの道徳を見失うタイプの末裔なのだ。そして、双方に共通しているのは、もはや確かな「目的」を見出せずに「方法」にばかり翻弄されているという点である。政治や社会に対して明確な理想を持ち得ない時代。民主的な制度をどう改革できるかはいくらでも議論できるが、その究極的な理由と方向性を指し示すことができない時代。そんな時代にあって「終焉」論者と「過剰」論者は、基本的には対立しつつも同じ根を共有している。そして、時にこの二者は奇妙な和合によって、双方にとって矛盾しないようなタイプの指導者を呼び込むこととなる。確かな「目的」を見失っている仲間だからだ。

民主主義とデカルト的な懐疑の精神を同一視するのはあまりに乱暴だとは言える。しかし、「目的」を探すための「方法」という言い訳を続けながら、「目的」なき「方法」だけが肥大していくというこの近代の病に対処するためにも、民主主義が「方法」に過ぎないことを思い出す必要がある。そしてこの「方法」はあらゆる「目的」を懐疑して破壊してしまうということに、警戒を払わねばならない。民主主義がここまで浸透しながらも行き詰まりを迎えているように思われるこの状況で、我々は何をすべきなのだろうか。間違いないのは、「机上の空論ばかり言ってないで代案を示せ」型の批判は再び「方法」に囚われるだけということだけだ。小手先の改革の問題ではない。我々はやはり、自分たちの生きる「目的」を見つめ直すべきなのだ。たとえ懐疑という「方法」に呪われたままだとしても。

第2章　成長とサイコロジー

サイコパスと呼ばれる人々

「サイコパス」という言葉をご存知だろうか。

ちょっと考えてみて欲しい。あなたの周りにこのような人はいないだろうか。見た目やおしゃべりが非常に魅力的で、いつも堂々としており、凡人には真似できないほどの大胆さで挑戦的な行動をとることができる人。大言壮語を吐き、自信満々で、周囲の批判に決して折れない不屈の精神を持っている人。人付き合いにも積極的で、有力な支援者や、または熱狂的なファンのような味方を得るのがとても得意だが、ある日突然そうした人たちと袂を分かって、平然と対立するグループの人々と仲良くなる人。確かに他人にはできない仕事をやることはあるが、継続性がなく飽き性で、最終的には何を成し遂げたのか疑問が残る人。実は、こういう人たちの中には、いわゆる「サイコパス」と呼ばれるような性質を持つ人が紛れ込んでいるかも知れないというのだ。

脳科学者の中野信子によるその名もズバリな著書『サイコパス』によると、この用語は元々、連続殺人犯などの反社会的人格を説明するために開発された診断上の概念で、精神医学の専門家の間では近年は「反社会性パーソナリティ（人格）障害」と呼ぶことが多いという。しかし、以前から広く用いられてきた「サイコパシー（精神病質）」や、「ソシオパシー（社会病質）」などの名称もほぼ同義の概念として今も使われているようだ。専門家でもない我々にとっては、「反社会性パーソナリティ障害」よりも「サイコパス」の方が圧倒的に馴染みのある呼び名だと言えるだろう。もちろん馴染みがあると言っても、この言葉から連想されるイメージはかなり非日常的で恐ろしいものに違いない。フィクションの中に登場する悪魔のような登場人物を思い浮かべる人もいるだろうし、実際に社会を震撼させるような凶悪事件を引き起こした猟奇殺人犯のことを思い出すという人もいるかも知れない。

しかし、上記のような診断を受ける可能性が高い人のことをここでは便宜上サイコパスと総称するとすると、サイコパスは何も凶悪犯罪者やその予備軍だけとは限らない。中野によると、サイコパスは恐らく一〇〇人に一人はおり、もしそうだとするならば日本全国に約一二〇万人もいる計算になるという。

いわゆる「良心」が欠けている？

サイコパスとはどうやら極めて珍しい凶悪犯のことを指すのではなく、社会の中にかなりの確率で存在する人々のようだ。それでは、サイコパスとは具体的にはどういう人格障害なのだろうか。心理学者のマーサ・スタウトは『良心をもたない人たち』の中で、アメリカ精神医学会が発行する「精神疾患の分類と診断の手引」（第四版）にある「反社会性人格障害」の臨床診断について紹介している。それによると、ある人が次の七つの特徴のうち、少なくとも三つを満たしている場合、精神科医はその人が反社会性人格障害、つまりサイコパスだと疑うという。それは「社会的規範に順応できない」「人をだます、操作する」「衝動的である、計画性がない」

「カッとしやすい、攻撃的である」「自分や他人の身の安全をまったく考えない」「一貫した無責任さ」「ほかの人を傷つけたり虐待したり、ものを盗んだりしたあとで、良心の呵責を感じない」の七つである。最後の条件だけやたら長い上に、それだけでももう十分「ヤバい」やつだと思うのだが、こうした定義は犯罪性に焦点を当てているためかなり限定的で、研究者や臨床家の中にはサイコパス全体に共通する別の特徴を付け加える者もいるとスタウトは述べている。その特徴とは、「口の達者さと表面的な魅力」「病的に嘘をつき、人をだます」「感情の浅さ、ぞっとするほどの冷たさ」などである。

ちなみにスタウトは、サイコパスはアメリカの人口の四パーセント、つまり二五人に一人はいると主張しており、これは先ほどの中野による推定よりはるかに多い。確かに今挙げた条件を見ていても、正直に言ってこれではかなりの人がサイコパス認定されてしまうようにも思える。一方、中野はサイコパス的な傾向にはグレーゾーンがあり、その症状にも程度の差があることにも言及しつつ、脳科学者としての知見を駆使して、サイコパスは脳の扁桃体と前頭前皮質の結びつきが弱いことなどを指摘している。こうした脳の性質は、サイコパスが感情を伴う「熱い共感」を持たず、恐怖や不安感情が弱く、強い刺激を求めてハイリスク・ハイリターンな行動を平気で選択できることを説明する証拠となるという。これはサイコパスとそうではない人をある程度区別できることを示唆している。心理学や精神医学の専門家ですら見破るのが難しいサイコパスの正体を見破る鍵となるのは、脳の機能なのだというのが中野の立場である。

脳科学による説明がどれだけの妥当性を持つのかを判断する資格はないが、興味深いのは、中野にしてもスタウトにしても、サイコパスには道徳や倫理に反する行為や、怠惰で利己的な行為を選択する際にそれを抑制しようとする内的なメカニズム、いわゆる「良心」が欠けていると見なしている点である。キリスト教道徳と深く結びついていると思われる、この「良心」という概念をどう考えるか自体既に大問題なのだろうが、とりあえず今は深入りしないでおこう。とにかくサイコパスに関する研究は、これまで心理学や精神医学が科学的に追究しようとしてきた問題とはかなり異質な、価値に関わる問題だと言える。そもそも、サイコパスは他の精神疾患とは違い、本人がその障害によって悩んだり苦しんだりすることがほとんどない。他人と分かり合えないことや慢性的な欲求不満に陥りがちなことが悩みと言えば悩みだが、基本的には自分と自分の生活に満足している。このような自覚なき「患者」を無理やり治療することはできない。それにもかかわらず、この「患者」を野放しにしていることによって、悩み、苦しみ、最悪の場合破滅に陥れられる人々がいるというのだ。しかし、「良心」の欠如という内心の問題に、心理学を代表とする心の科学はどのように対処すればよいのか。

起業家と政治家に?

もう一つ重要なことがある。それはサイコパスは社会的地位の高い人の中に多く存在すると考えられている点である。中野が著書の中で紹介している産業心理学者ポール・バビアクの研究によると、サイコパス的な傾向は社会一般よりもエグゼクティブ層の方が高いという。ただ、これはサイコパスは仕事ができるということを必ずしも意味しておらず、プレゼン能力と人心掌握に長けていることからくると考えられる。また、口先の上手さと変わり身の早さは、起業家向きとも言える。変化とスリルに惹かれ、自由な社風を愛し、部下を操り仕事をさせるリーダーシップがあるサイコパスのことを、バビアクは「起業家のふりをしたサイコパス」と呼んでいる。しかし、これはもはや「ふり」と呼べるのだろうか。既存のルールに囚われず、ビジネスモデルの変化に慌てふためくこともなく冷静に対応し、激烈なマネーゲームをむしろ楽しめるタイプの起業家は、ある意味ではサイコパス的でなければ務まらないように見えてしまう。

起業家だけではない。政治の世界もそうではないだろうか。弁舌巧みに大衆人気を獲得し、様々な政党や派閥を渡り歩いても恥も矛盾も感じず、選挙と権力闘争にはめっぽう強いが政策実行力には常に疑問符がつく政治家。別に具体的に誰がそうだと言っているわけではない、ないのだけれど何となく「あの人かな？　それともあの人も？」と思い当たる顔がいくつも浮かぶという人もいるだろう。「ポピュリスト」と名指しで批判される政治家もまた、極めてサイコパス的な存在である。つまり、起業家であれ政治家であれ、現代社会においてサバイバルに適している「勝ち組」のメンタリティは、厳密に病理的な意味でサイコパスなのかどうかは別にして、極めてサイコパスに似ているということなのだ。

サイコパスと成長主義

サイコパスという障害は、このような形で概念化されて注目されたのが比較的最近だというだけで、恐らく人類史とともに存在してきたと考えられる。では何故ここにきてサイコパスはここまで人々の関心の的となっているのか。それは、言うなれば現代社会がサイコパス適合的な社会になっているという不安の表れであり、それと同時に、「良心」というブレーキを外すことができる（というより、そのブレーキがついていない）サイコパスがこの世の春を謳歌していることへのルサンチマンと嫉妬の裏返しなのではないだろうか。先ほど「良心」のことをキリスト教道徳に深く結びついていると書いたが、ニーチェ風に説明するならば、サイコパス傾向の弱い人々とはこの社会における弱者であり、価値破壊的であると同時に価値創造的でもある強者サイコパスのことを、我々は「良心」という名の奴隷根性を振りかざして何とか引きずり降ろそうとしているようにも見える。

多くの人々は自分たちの身の回りに潜むサイコパスを恐れる一方で、サイコパス適合的な社会で生きることは拒否せず、自分もその中での勝ち組になりたいと願っている。そしてできることならば自分も「良心」というブレーキをさっさと取り外し、サイコパスのように人を出し抜き自己利益を最大化するための行動をとりたいと思うようになる。それくらいのことをしなければ、この生き馬の目を抜くような世の中で生き残っていくことはできないからだ。しかし、そんなサイコパスもどきにとって一番の脅威となるのは、本物のサイコパスである。「養殖」は所詮「養殖」。「天然」には勝てない。

こうして人々は「天然のサイコパス」という敵を発見するのにますます躍起になり、病的なものとして糾弾しながら、自分たちは逆にまさにそのサイコパスに擬態しその地位を簒奪しようと必死になってしまう。そう考えると、我々はサイコパス適合的な社会を拒否しないというより、拒否できなくなっているのだ。それではその社会とは結局どういうものなのか。それは、絶え間ない経済競争とイノベーションに晒され、目的もなく肥大していく、いわゆる成長主義に取り憑かれた社会のことなのではないだろうか。

成長主義と親和的なサイコパス

自らの不道徳で利己的な行為によって周囲の人間を不幸に陥れても何の罪悪感も覚えない「反社会性パーソナリティ障害」、通称サイコパス。このような性質を持つ人間は凶悪犯罪者などに限られるわけではなく、社会に一定数存在することがわかってきた。しかもその比率は、起業家や政治家など、社会的地位が高いとされる人々の方が多いという。現代社会において「勝ち組」とされる集団の中に潜むサイコパスの存在に、我々は言いようのない恐怖を感じ、どのような人間がサイコパスで、どのように対処したら良いのかを必死に知りたがってしまう。

しかし、我々がこうした強い恐怖と関心を抱いてしまう裏側には、おそらくは成長主義に取り憑かれた現代社会がサイコパスに親和的だという事実があるように思われる。「良心」などというブレーキを持たないことが有利に働く、そんな世の中を生きなければいけない状況で、人々はサイコパスを恐れるだけでなく、サイコパスを恨みサイコパスに嫉妬してしまう。自分たちを食い物にするサイコパスを炙り出して排除したいと思いながらも、心のどこかで同じように考え行動することを羨んでいる。そして、サイコパス的に生きることを余儀なくされる成長主義を批判するどころか、ますますその思想に囚われていくのだ。

成長主義、厳密に言えば経済成長至上主義がサイコパスに適合的な思想だと聞くと、少なからず抵抗を覚える人もいるだろう。経済成長なき社会が人々を幸福にすることなどあり得ないと思う人もいるだろうし、そもそも精神病理の用語であるサイコパスをこのような形で安易に拡大解釈して使うこと自体が乱暴だと批判する人もいるだろう。だが、常に経済成長を達成し続けなければいけないという強迫観念にも似た思考パターンと、我々がサイコパスのことを病的だと考えるその特徴を比較してみると、そこには明らかに共通した性格が見てとれる。

例えば、成長主義は終わりなき経済成長を志向するが、そのためには既存の社会的規範を疑い、余計な規制を取り除き、常に新しい状況に対応していくことが要求されることとなる。これまでの慣習に縛られ、競争を阻害するような取り決めに固執し、刻一刻と変化していく環境に適応できない情緒的で非合理的な人間は、この社会では生き残っていくことができなくなる。一方でサイコパスは、社会的な規範に順応できず衝動的で無計画な性格を持つとされるが、しかし、いや、だからこそ、リスクを恐れずに常識に囚われない判断を瞬時に下し続けることができるとも言える。

「規範を守らない」ことと「規範を守れない」ことは本来別のことのはずだが、皮肉なことに現代社会においてその区別はあまり重要ではなくなってしまう。何故なら、成長主義を採用するということは、「成長が人間を幸福にする」というテーゼがいつの間にか「成長がなければ人間は幸福になれない」というテーゼにすり替わってしまったことを指すからだ。我々は成長を目指すことをやめないのではなく、やめられないのである。「しない」と「できない」の区別がなくなってしまったこの社会で、規範を守れないサイコパスが規範に縛られない冒険的な「勝ち組」と見分けがつかなくなるのはやむを得ないことと言える。

熱い共感を持てない社会

また、経済成長はＧＤＰのような数値化された客観的指標によって測定されるが、これは個々の人間や社会の幸せや豊かさについての実感を反映したものではない。その意味で成長主義は常に抽象的な目標を追求することになる。これは人々の幸せをＧＤＰで測るのをやめて別の「幸福度」の指標に切り替えたところで変わりはしない。抽象化された数値をより上昇させた方が幸せだという、成長のモデルで捉えている点では同じだからだ。そして、我々の追求する目標が抽象的であるということは、我々が具体的で明確な社会構想を持ち得ないことを意味する。あらゆる理想が批判に晒され、偏狭なイデオロギーとして断罪されてきた後に残された目標は、経済的効率性と利便性、そしてそれらを支える富の拡大くらいしかない。しかし、それは何のために追求されるべきなのか。

そう、経済成長は目標というよりも、我々にとってより高次の目的を達成するための手段であるはずであった。余計な情緒を排した価値中立的なものなどではなく、むしろみんなで幸せに暮らしたい、我々の住むこの社会を良いものにしたいという、まさにこうした感情に要請されて出てきた解決策だったはずなのだ。それなのに現在、我々は抽象的な数字を追うことをやめられなくなり、社会のあり方について理想を語ることができなくなっている。そして、社会の他の成員たちと具体的で強い愛着をもって連帯することはますます困難になっている。サイコパスは感情が極端に浅く、人々と熱い共感を持つことがないとされるが、成長主義の社会では怜悧な思考が称揚されると言えば聞こえがいいが、要するに熱い共感を持てない社会なだけではないだろうか。

具体的な他者に愛着を持ち得ず、手段を目的と取り違えたまま抽象的な数値目標だけをいたずらに追い、その過程においてこれまで共有してきた規範を無視したり破壊したりしながら、とにかく状況適応的に行動する。こうしたサイコパス的な行動や考え方が合理的選択の名の下で是認されることを成長主義と呼ぶのだとすれば、我々は経済成長を現代の宗教的ドグマとして崇め奉ることを一旦やめてみる必要があるように思われる。それ以前の問題として、先進国を中心に世界の多くの国々で経済成長が長い停滞の局面に入っている事実、そして成長率の値は一応上昇し続けているのに多くの国民の生活が明らかに良くなっていない、むしろ苦しくなっている事実を直視する必要がある。成長主義を掲げ続けたところで、成長そのものが達成できないのだからどうしようもないし、それでも成長成長と頑張っていることでかえって逆効果になっているのだ。

経済成長の神話が崩壊し、歴史の転換点にも見える今の時代に、成長主義を批判し「脱成長」を提唱する人々が登場するのは当然のことである。論者によっては経済成長の追求そのものを悪徳だと考える者もいるようだが、多くの場合は、経済成長したくてもできないのだから成長に依存しない社会作りを目指そうという、どちらかと言えば穏当な意見が「脱成長」という表現になっているように見受けられる。よく考えてみれば、我々はとっくに経済成長しなくなった社会を生きているのだから、成長を脱却する必要もない。逆に成長の方が我々から離脱していったのだ。その意味では、多くの「脱成長」論は正確には「脱・成長主義」論のことに他ならない。

成長主義を克服するために

しかし、こうした「脱・成長主義」論としての「脱成長」論さえも、猛烈な批判に晒されているのが現実である。ネットは「お前たちは勝ち逃げできるからそんなことが言えるんだ」だとか、「団塊世代は経済成長の恩恵をたっぷり受けて年金までもらっておきながら、俺たちには貧しく慎ましく生きろと言うのか」などといった呪詛の言葉で溢れている。「脱成長」論者は「老害」であり、「シルバー民主主義」の悪しき権化だという、憎悪にも似た拒絶反応が巻き起こるのが常となっているのだ。もちろん、そうした批判もある程度は理解できる。「脱成長」論者の中核をなす、いわゆる「リベラル」な人たちはこれまで、資本主義の暴走を批判しつつも特定のイデオロギーにコミットすることを忌避して個人主義的ライフスタイルを享受してきた。その結果、経済成長の推進を最も価値中立的で健全な政策方針だと認め続けてきたからだ。成長主義に淡い期待を託さざるを得ず、すがりつく他ない人々の目には、こうした「脱成長」論者の変節は完全な裏切りであり、「リベラル」気取りの金持ちが歳をとって見事な説教老人になったようにしか映らないであろう。それは理想について、社会道徳について、これまでに粘り強く議論を重ねることを避け、物質的繁栄や幸福に甘んじてきたことのツケだと言える。

だからと言って、「脱成長」論者を「老害」扱いし、成長主義の見直しを机上の空論と嘲笑し、更には「そう言うのならば対案を示せ」と居丈高に恫喝するような成長原理主義者が正しいはずもない。サイコパスの利己心や敵への容赦ない攻撃性が病理だとするならば、こうした人々はサイコパスよりも一層タチが悪いと言えるだろう。成長主義に取り憑かれた人々はサイコパスを忌まわしい存在だと恐れておきながら、その実、自らサイコパスのように人を人とも思わないヘイトを撒き散らしている。

このような事態もまた相対的な貧困の結果であり、中間層が経済的に豊かになれば解決できる、再分配政策が健全であれば乗り越えられるという議論があるが、再分配だとか福祉の拡張という「リベラル」が唱えてきた価値中立的な経済政策は、結局は成長主義に逆戻りしてきたのだった。「対案を示せ」という批判は正当な発言に見えるが、結局は成長戦略を示せという意味に過ぎない。成長なき時代にそれでも成長を追求しろという禅問答のようなメッセージに人々は疲弊しきっている。そして小さなパイを巡って他人と容赦ない争奪戦を繰り返すことができるのは、熱い共感を持たず刹那的な刺激を求め続けるサイコパスのような人間しかいないのだ。

成長主義はサイコパスに適合的であると同時に、本来はそうではない人たちにもサイコパス的に生きることを要求し、社会を利己的かつ排他的に改造していってしまう。そして、連帯意識も責任感も持たない人間はますます抽象的で刹那的な成長目標を追求していく。成長主義がもたらすこうした悪循環から抜け出すためには、一体どうしたらよいのだろうか。少なくとも確認しておくべきは、サイコパスがいるから社会がサイコパス適合的になったのではないということだ。むしろ、サイコパス適合的な社会になってきたからこそ、こうした性質を持つ人々が注目を集めるようになってしまったのである。

つまり、サイコパスの精神構造を心理学的に研究すれば事足りる訳ではない。むしろ、サイコパスを非難しながらもサイコパス的に生きることを恥じない我々の心の在り方を問う、より総合的な意味での「心の学」こそが求められているのだ。

第3章　戦争とトポロジー

戦後日本は戦争を経験してきたのか

あなたは戦争を経験したことがあるだろうか。

この質問に対して「ある」と答える人はそう多くはないはずだ。戦争を直接経験した世代、いわゆる「戦中派」のほとんどは、既にこの世を去ってしまった。現在、日本人の大多数は戦後生まれであり、よほどの例外でもない限り大規模な軍事衝突に巻き込まれることなく平和な社会を生きてきたと言える。街角で戦争反対と叫ぶあの人も、日本は自前の軍隊を持つべきだとネット上で息巻くあの人も、自分自身では戦争を経験してきた訳ではないし、そのことを不思議に思う人もいないだろう。

そのため、我々は戦争というものに対してリアリティを感じることができず、どこか遠い世界の出来事として捉えてきたように思われる。しかし、少なくとも戦後のある時期までは、この平和が当たり前という感覚には一定の留保が付いていた。冷戦体制の存在である。アメリカ率いる西側陣営とソ連率いる東側陣営が核戦争の可能性を念頭に軍拡競争を繰り広げ、世界全体が絶えざる軍事的緊張状態に置かれている状態。それは、二度にわたる大戦と比べれば戦争状態とは到底言えなかったかも知れないが、何の戦争も起こっていないと居直るには無理があるからこそ「冷たい戦争」と呼ばれたのである。人々は虚ろな平和の裏側に戦争が透けて見えていることに気づきながら、できるだけ気づかないふりをして過ごしていた。

日本はこうした時代状況の中で、一方の極であるアメリカと特別な関係を持ち、「軍隊」を持たないままでこの軍事超大国と「同盟」を結び、基本的には平和な「冷たい戦争」に投げ込まれるという、幾重にもねじれた奇妙な戦後史を辿ってきた。そして冷戦が終わって久しい今でも、このねじれは解消されないまま温存されている。平和主義を唱え、戦争放棄を謳い、国民を戦地に送らないという姿勢を堅持してきた我々の政府は、問題解決の手段として武力を行使してはこなかったという意味では戦争に手を染めていないと言える。しかし、国内の至る所に米軍基地を有し、「軍隊」ではない謎の「実力」が米軍の後方支援を行い、その「実力」のために毎年世界有数の費用が予算として計上されているということを省みるならば、日本の戦後が戦争と全く無縁だったとは言い難い。客観的には、この国は戦争をしている国の支援を精力的にこなし、自らもいつか戦争できる国になるための準備にいそしんできたように見えるだろう。

だからと言って、「平和なふりをしてきた戦後の日本も、しょせんは血塗られた戦争に加担してきた共犯者なのだ」と糾弾するような議論は、それはそれであまりにナイーブで粗雑に過ぎる。こんなことを言い出したら、外交や防衛に関する行為の何もかもが戦争になってしまうからだ。近代戦争研究の古典として知られるクラウゼヴィッツの『戦争論』に、「戦争とは他の手段をもってする政治の継続である」という有名な一節があるが、戦争が政治の延長上にあることと政治が全て戦争と見なされることは全くの別物である。例えばアメリカのように軍事行動を起こす機会が多く戦争経験が豊富な国にとって、戦時と平時の区別を曖昧にしてしまうことは政策として不適切であり、その国民生活にとって極めて有害である。

世界のほとんどの国にとって、武力の行使を安全保障上の確かな選択肢として保持するのは当然の権利である。だからこそ戦争という概念をみだりに拡張しないよう、慎重に取り扱う必要があった。しかしここで厄介なのは、こうした節度ある態度を維持することが、日本だけでなく世界全体において近年ますます困難になっているという事実なのである。

新しい戦争の正体とは

二〇〇一年の九・一一同時多発テロの発生により、ポスト冷戦時代にはアメリカの圧倒的な軍事力による「パックス・アメリカーナ（アメリカの平和）」が訪れるという楽観的な見通しは脆くも崩壊した。それでも、ジョージ・W・ブッシュとその政権がアフガニスタンとイラクを続けて攻撃した際には、「ユニラテラリズム（単独行動主義）」による平和なき一国覇権時代がしばらく続くのではないかと思われた。しかし、一般的な予想とは裏腹に、アメリカは終わりなき対テロ戦を「新しい戦争」と見なした結果、消耗し疲弊していくこととなったのだった。

こうした前史を踏まえると、バラク・オバマの民主党政権とドナルド・トランプの共和党政権は、アメリカがグローバルな秩序の担い手であることを半ば放棄し、自国利益を最優先にしながら勢力均衡を計る「普通の国」に戻ろうとしているという意味では見かけほどの違いはない。そしておそらく、アメリカがかつてのような絶対的地位を回復する可能性はかなり低いと考えざるを得ない。ただ、アメリカが覇権の地位を降りるということは、別の超大国が登場することを必ずしも意味しない。そんな国が登場したのならば、それが我々自身にとって望ましいかどうかにかかわらず、ひとまずはグローバルな秩序の安定に寄与するだろう。しかし、もう既に多くの人が気づいている通り、世界はむしろ複雑系へと変貌する方向へ舵を切っている。当然、その世界における戦争もまた、同じように姿を変えていくこととなる。「新しい戦争」は対テロ戦の枠組みを超えて、危険な形で拡張し始めているのである。

『「新しい戦争」とは何か』の編著者である政治学者の川上高司は、この本の前書きでリチャード・ハスの「無極化の時代」という概念を引用しながら、現在進行中のこうした状況においては「戦争のグレーゾーン化」「時空のグレーゾーン化」「戦争の主体の変化」などの諸現象が起こると説明している。「戦争のグレーゾーン化」とは、軍事力や経済力といったハードパワーと、文化的価値や政策などがもたらす影響力であるソフトパワー、この両方を駆使したパワー・ポリティクスが大国間で展開されることで、手段としての戦争とそれ以外の区別が困難になっていくという現象である。次に「時空のグレーゾーン化」とは、戦争がいつ開始したのか、そもそも今が戦争状態なのかという区別、戦時と平時の区別が困難になることを指している。また、同時多発テロ以降、テロ集団や過激派武装組織などの非国家主体との軍事的衝突も戦争と見なされるようになった。こうした「戦争の主体の変化」もまた、先の二つのグレーゾーン化と密接に繋がっている。

もちろん、川上が指摘する「新しい戦争」の新しさについては議論の余地があるだろう。ハードパワーとソフトパワーのミックスが広義の戦争を形成することがどれくらい画期的なのかについては疑問が残るし、戦時と平時の区別が難しいという事態もよく考えてみればそれほど珍しいことではないだろう。「イスラム国」のように、国家を自称する過激派武装組織というマージナルな主体との大規模な軍事衝突は、確かにかなり新しい事態に映ったが、これも世界各地で起こってきた内戦や紛争の中に相似形が見出だせそうだ。しかし、これまではグレーゾーン的な事例を「新しい戦争」と呼んでこなかったのもまた事実である。

「新しい戦争」において重要なのは、現象面の新しさではなく、戦争という概念を厳格に定義して使用することの難しさにある。つまり、現代はあらゆる現象のことを変形し擬態した戦争として捉える必然性が高まっているということであり、言い換えれば、戦争をやわらかくて伸び縮みするものとして見る論理が要請される時代が到来しつつあるということなのだ。

戦争の位相同型を捉える

古代より続く数学の長い歴史の中では比較的新しい分野に、トポロジー（位相幾何学）というものがある。このトポロジーの視点では、ドーナッツと取っ手のついたマグカップはどちらも、立体の中に穴のようなものが一つ空いているという意味で「同じ」形だと考えることができる。それまで固くて伸び縮みすることのない線や図形や立体を当然の前提としていた幾何学は、当然ドーナッツとマグカップを別の立体だと見なしてきた。しかし「やわらかい」幾何学であるトポロジーは、線の長さや面積などの数量ではなく、頂点・面・辺などの数とその相対的な位置に着目し、立体をやわらかいゴムのようなものでできていると見なす。すると、自由に伸び縮みして曲げたりねじったりすることができるその立体は、切り離したり別の立体を貼り付けたりしない限りは位相同型、「同じ」だと考えることができるようになったのである。

トポロジーとはつまり、ドーナッツとマグカップを、サッカーボールとサイコロを、そして極めて乱暴に言えば、人間と土管さえも「同じ」ものだと捉えることのできる「やわらかい」論理であり、それは従来の「かたい」幾何学を包摂する視点を我々に提供することとなった。

アメリカが自らその覇権を諦め、とてつもなく強大なだけの「普通の国」の地位へと降りる一方、中国やロシアなどの野心的な大国が、軍事力だけでなく経済力や情報操作など様々なリソースを駆使して世界に影響力を及ぼそうとする時代。自分は国家だと言い張り、従来型の領域国家を引き裂く縦横無尽な戦略を選択する武装組織が、無視できないプレーヤーとして現れる時代。そして、北朝鮮のような小国でさえも核抑止に深刻な打撃を与えられるようになったのとは対照的に、軍事大国はむしろ大量破壊兵器ばかりにこだわらず、サイバー攻撃や無人機爆撃などのハイテク戦術を縦横無尽に展開しつつある時代。このような複雑系の時代において、従来の「戦争の幾何学」は変化の諸相を追跡することができず、それをグレーゾーン化として捉えることしかできなくなる。

「新しい戦争」の実態に迫るためには、ドーナッツとマグカップを異なる立体だと考えるような「かたい」常識を前提にやりくりするのではなく、戦争の位相同型にあたる現象を戦争と同じものとして同列に取り扱うことのできる、「戦争のトポロジー」を導入することが必要になってくる。戦争の位相同型を捉える視点を持つことは、戦争の概念を曖昧にすることではない。逆に、戦争を柔軟な形で定義し直すことができるならば、何もかもがグレーゾーンで片付けられてしまう現状を打破する可能性が開かれるはずである。それでは、これまでの「戦争の幾何学」をも包摂するような「戦争のトポロジー」とは、一体どんな論理なのだろうか。

一八世紀のスイスが生んだ数学者、レオンハルト・オイラーは、四面体や立方体などを代表とする多面体と呼ばれる立体について、その様々な形状からはおよそ想像もつかない共通の性質を発見した。多面体は複数の頂点と、それらを結んでできる線分である辺、そしてその辺によって構成されている面という三つの要素を備えている。ここで、頂点をV、辺をE、面をFと置くと、オイラーは多面体についてこのような公式が成り立つことを証明したのだった。

「やわらかい」幾何学＝トポロジー

$$V－E＋F＝2$$

実際に計算してみるとわかるが、この公式は四面体でも立方体（正六面体）でも、何なら国際サッカー連盟ＦＩＦＡがワールドカップの度に作っている、数種類の図形を混ぜ合わせた複雑なデザインのサッカーボールでも成り立つ。実は多面体は、仮にそれらがゴム風船のようにパンパンになるまで膨らませることができるとすると、どれも最終的には球体になるという特徴がある。逆に言えば、やわらかい球体の上に任意の数の線を引き、その辺に沿って折り曲げて頂点を角ばらせた立体が多面体なのである。

球体の表面を分割することによって作り出される、あらゆる多面体に共通するこの公式は「オイラーの多面体公式」と呼ばれ、その後の位相幾何学、トポロジーの礎を築くこととなった。そしてオイラー以降、この多面体公式は球体を分割した多面体以外の立体についても適用できる形で一般化された。例えば、ドーナッツのように「穴」が空いたような形をした立体をトーラスというが、トーラスの表面をどのように分割した立体も、先ほどの公式に当てはめると答えが0になる。V－E＋Fの答えをオイラー数というのだが、球体のオイラー数は2、そしてトーラスのオイラー数は0と決まっており、これはどのように変形しても変わらない、それぞれの曲面の普遍量なのである。

と、別に数学に詳しいわけでもない素人がトポロジーの初歩について解説してしまったが、ここで重要なのは、「やわらかい」幾何学であるトポロジーといえどもあらゆる立体を十把一からげに扱っているのではなく、位相同型なのかそれとも異なる曲面を持つ立体なのかをオイラー数によって区別しているという事実である。球体ならばどのように変形してもオイラー数は2、トーラスならばオイラー数は0と、似て非なるもの（状態）を見分ける普遍的な基準がなければ、トポロジーは「やわらかい」論理などではなくただの「だらしない」論理になってしまうだろう。

同様に、もし我々が従来の「戦争の幾何学」の限界を乗り越えるために、それを包摂するような「戦争のトポロジー」を構想しようとするならば、それは世界で起こるあらゆる事象を全て戦争の変形もしくは擬態と見なして済ませるような「だらしない」論理ではあり得ない。全ては戦争なのだという極端な見方にも一面の真理はあるのだろうが、これに付き合うことで複雑化する戦争の諸問題が解決する見込みは薄そうだ。「戦争のトポロジー」を支える、「やわらかい」基準とは何かを粘り強く探し求めていく必要がある。

「スマート兵器」の担い手は誰か

現代を「新しい戦争」の時代へと導いている、軍事技術の問題を例に挙げて考えてみよう。振り返って見れば、人間の歴史とは技術革新の歴史であり、技術革新はいつも戦争の革新と密接に結びついてきた。舌の根も乾かないうちに、全ては戦争だという「だらしない」結論を下したくもなるが、それでは人間は火を使ったり刃物や車輪を発明したりしない方が良かったと言っているようなものだろう。戦争の実態を把握しそれを少しでも制御するためには、技術がどのように戦争と結びつくのかを丁寧に観察する必要がある。そこでいくと、現代の軍事技術における革新はどうもこれまでのものとは質的に大きく異なるようだ。

作家でジャーナリストの小林雅一は『ＡＩが人間を殺す日』の中で、ＡＩ（人工知能）が組み込まれた自律型兵器を中心とした新たな軍事技術や戦術、そして戦略が引き起こす問題を紹介している。人間が事細かな指示を出さなくても自ら戦況を判断する、自律型兵器の「自律性」を高めようとすればするほど、その行動の「予測可能性」が低下してしまうというジレンマがあると小林は言う。また、こうした難題が解決しないまま兵器開発だけが急ピッチで進められている一方で、「スマート兵器」を支えるＡＩなどの先端技術において軍事と民生の優位性が逆転してしまったことが大きな懸念材料となっていることを指摘している。

兵器の自律性と予測可能性のジレンマは、コントロール不能な殺人ロボットの到来をつい想像させる。それが強大な国家権力の象徴である軍隊によって一方的にもたらされているのではなく、国家のコントロールが簡単には及ばないグローバル企業による経済活動の、自然な帰結によるものだとすれば、我々は何をどのようにコントロールすれば良いのだろうか。何より、民間技術が軍事技術より上回ってしまったという事実は、過激派武装組織でも誰でも市場で容易に兵器及び兵器に転用可能な製品を入手できることを意味している。例えば、自動車の自動運転技術が自爆テロに活用されれば、若くて勇敢なジハーディストの犠牲を払わずに多くの市民を恐怖に陥れることができるようになるだろう。

こうなって来れば、もはや兵器だけの問題ではない。先端技術と軍事技術の境界も、兵器とそれ以外の境界も、軍事研究と平和目的の研究の境界も、ますます溶け合ってしまう。更に、民間企業だけでなく大学のような研究機関も技術開発に大きく貢献しているという事実に注目すると、「自由な経済活動」はおろか「学問の自由」さえも、そう簡単には免罪されないことがわかる。

サイバー戦争を招く露出狂

先端技術と戦争の関係と言えば、サイバー戦争の問題も避けて通ることはできない。「スマート兵器」ももちろん脅威だが、IT技術をフルに駆使した情報戦こそが未来の戦争を規定することはまず間違いないだろう。二〇一三年に、元NSA（アメリカ国家安全保障局）職員のエドワード・ジョセフ・スノーデンがアメリカやイギリスの大規模な諜報活動を告発するという、いわゆる「スノーデン事件」が起きたことは記憶に新しいが、この事件が衝撃的だったのはアメリカなどの大国が世界各地でスパイ活動をしているという事実ではなかった。スパイ活動の存在自体は誰もが予想していたことだからだ。むしろ、インターネットの時代における情報戦がいかに徹底的で破壊的なものになり得るかを実感させたという点こそが、「スノーデン事件」の新しさであり恐ろしさだったのではないだろうか。

スノーデンがもたらした機密情報の真偽はともかく、諜報やハッキング、そして情報システムの破壊などを含むサイバー戦争の時代は、とっくに幕を開けていたと言うことができる。中国人民解放軍には「サイバー軍」と呼ばれるサイバー戦部隊が存在することが知られているが、軍事超大国であるアメリカとの兵力差を無効化するためにも、こうしたサイバー戦部隊の重要性は各国の間でますます高まっていくだろう。厄介なのは、サイバー攻撃は当然のこととして隠密裏に行われるため、どの情報漏洩やどのハッキングが他国からの外交的・軍事的意図による攻撃なのかを判断するのが極めて難しいことだ。ここにも「新しい戦争」のグレーゾーン的性格が顕著に現れている。

国家権力による監視をサイバー戦争の一部と見なすならば、自国民と敵性国民、戦場と銃後、戦時と平時との区別は危険なレベルまで消えていく。このような事態は世界中で対テロ戦が喫緊の課題となって以降は常態化しつつあるが、その一方で監視社会論はまるで陳腐な権力批判の代名詞かのように貶められつつある。この奇妙な逆説の背景には、インターネットを通じて自分たちの個人情報を差し出すことで、ＳＮＳでの承認欲求やネットショッピングの利便性などの利益を享受している我々自身の生き方がある。一方的な監視に晒されるという不安はもはや時代遅れとなり、豊かな暮らしを実現するためには管理を受け入れて当然という考え方が主流となりつつあるのである。

市民が管理を望み、企業がそこから利益を引き出し、政府がそれを利用する時代に、監視も何もあったものではない。露出狂が覗き魔を糾弾するようなものだ。しかし、この倒錯的な関係が暴力的な支配の装置に転用されて泣きを見るのは露出狂の方に決まっている。サイバー戦争の激化を自ら招き入れているとわかっていてもなお、我々はすすんで便利さによる快楽と引き換えに管理という名の隷従を選ぶべきなのだろうか。

道義的な実践を

しかし、ここまでの議論を踏まえた上で、もう一度クラウゼヴィッツのあの有名な言葉を見直すと、重要なことがわかってくる。クラウゼヴィッツは「戦争とは他の手段をもってする政治の継続である」と言ったわけだが、逆に言えば、いかなる戦争もその前段階には政治的な決定があり、しかもその決定は通常の政治過程が手詰まりとなった時に下されるということだ。そうだとすれば、「戦争のトポロジー」に特有の公式を探る試みは同時に、「政治のトポロジー」を構想することを我々に要求しているのではないだろうか。そしてここで言う「政治」とは、政府による開戦の決定や、文官が軍を支配するシビリアン・コントロールの徹底や、または安全保障問題に対する市民意識の向上といったことに留まらない、日常的でささやかではあるが、より道義的な実践を含むのではないだろうか。

全てを戦争と同一視して悲観するのも、露出狂の奴隷として享楽的に生きるのも、「だらしない」思考停止だという意味ではそれほど違いはない。トポロジー的に変形してしまった「やわらかい」戦争に対処したいのならば、我々の側も「だらしない」生き方を脱却し、責任をもって「やわらかい」政治に関わろうとしなければならない。言い換えれば、国家、企業、武装組織、そして我々自身も含めたどんな主体に対しても「やわらかい」戦争の遂行を許さず、誰のことも殺したり殺させたりしないための社会作りが、これまで以上に重要な課題となっているのだと言える。この地球を穴の空いたトーラスにしてしまうことなく、多少の線で分割されているがそれでも一応球体だと呼べるような状態に保ちたいのならば。

第4章　経済とアポロジー

エリザベス女王の率直な疑問

「なぜ誰も予測できなかったのですか?」

これは、イギリス女王エリザベス二世が、ある大学教授からのプレゼンテーションを受けた際に発した質問だという。時は二〇〇八年の一一月、場所は経済学の名門ロンドン・スクール・オブ・エコノミクスでのことだと言えば、何について尋ねようとしていたのかおわかりになった人も多いだろう。その当時、世界中で猛威を奮っていた世界金融危機について、女王は自身が抱いていた率直な疑問を、彼女のお膝元で活躍していた一流の経済学者にぶつけてみたのだ。

二〇〇七年、いわゆる「サブプライムローン問題」がきっかけとなってアメリカで住宅バブルが崩壊すると、金融市場で急速に広まった信用不安は遂に投資銀行・証券会社大手のリーマン・ブラザーズを経営破綻に追い込むに至り、二〇〇八年九月、ニューヨーク証券取引所は史上最大の株価下落を記録した。そしてそれはそのまま世界同時株安へと発展し、一九二九年の大恐慌に次ぐ巨大な規模の不況が発生することとなった。

二一世紀を生きる我々の多くにとっては、未だかつて経験したことのない事態であり、大恐慌の時にはまだ幼かったエリザベス女王にとってもこれは同じだった。彼女が折からの危機に深い憂慮を示したことは、極めて当然の反応だったと言えるだろう。とは言え、女王の質問は、単に景気動向への不安から出たという類のものではなかったように思われる。女王はむしろ、本当に心から不思議で仕方なかったのではないだろうか。

それもそのはず、世界金融危機が起こるまで、世界中の経済学者や金融当局者、投資銀行家など、専門家たちは皆、世界経済はこれまでになく安定していると太鼓判を押していたからだ。高度で難解な数式を駆使して生み出された金融商品が、絶対に失敗しないとの謳い文句で市場を飛び回る中、現代の経済学は危険なインフレを退治して経済成長を促進する理論を確立したと自負し、自由市場のグローバルな発展は不可逆的だと考えられていたのだ。

それなのに、絶対失敗しないはずの金融商品は焦げつき、世界経済を成長どころかあわや破滅の一歩手前まで追いやり、グローバル化の旗手であるアメリカ政府が公的資金を大量に投入してまで自由市場のツケを払うハメになったのは、一体どういうことなのか。女王だけでなく、世界中の多くの人々が、そして、当の専門家たちでさえも、純粋にこの謎の前に立ちすくんでいたのである。

経済学は害をなした？

ケンブリッジ大学で教鞭をとる韓国出身の経済学者のハジュン・チャンは、『世界経済を破綻させる23の嘘』の中でこのエリザベス女王のエピソードを紹介しているのだが、それによると、英国学士院が女王の懸念を受けて各界からトップクラスのエコノミストを招集し、検討会議を行った結果は極めて奇妙なものだった。著名な二名の学者が女王に宛てた書簡には、このようなことが書かれていたという。個々のエコノミストは有能でありまして、実力を発揮して適切に自らの仕事を遂行いたしておりましたが、危機が起こる直前に木を見て森を見ぬ状態におちいったのでございます、それは内外の頭脳明晰なる多数の人々の集団的想像力が、システム全体に対するリスクを把握しそこなったからです、と。

チャンは自身のキャリアの中で、経済学で想像力、とりわけ集団的想像力について論議されているのを見た覚えはないと皮肉を言いつつ、これは何がどう悪くなったのか知らないということを、イギリス経済学界の重鎮たちがおおむね認めたということだと断じている。彼は更にこう続ける。

だが、そう考えるだけでは実は控えめすぎる。「経済学者は自分の狭い専門領域のなかに閉じこもって、きちんと仕事をしてきた罪のない専門家であり、あるとき突然、みんないっしょに、予測など誰にもできない一世紀に一度の大惨事に不意打ちを食わせられたにすぎない」なんて考えるのは間違っている。

実を言えば彼らは、この三〇年間ずっと、金融緩和と節度なき短期利益の追求を正当化する理論を提供することによって、二〇〇八年世界金融危機を勃発させる状況づくりに重要な役割を演じてきたのである。

このようにしてチャンは、経済学は単に的外れの議論をしていたどころか、間違いなく人々に害をなしてきたのだと、容赦のない批判を加えている。経済危機だけでなく、低成長も、格差の拡大も、雇用の不安定も、全て経済学に責任があるというのだ。

経済学の豊かな可能性

世界金融危機の衝撃が冷めやらぬ二〇一〇年に書かれた『世界経済を破綻させる23の嘘』は、経済学者であるチャンが、敢然と経済学の「罪」を暴きたてて糾弾するという内容になっているが、決して資本主義という経済システムそのものが悪であると主張する本ではない。問題や限界はあるものの、資本主義はいまなお人類が生み出した最良の経済システムだと彼は信じており、問題なのは「自由市場資本主義」という特殊な一バージョンにすぎないのだという。

つまり、彼が批判している経済学というのも、経済学全体のことではなく、その中の特殊な一バージョンなのである。それは、我々が自由市場主義、または新自由主義と呼んでいる一派だ。「市場に全幅の信頼を置き、手を出すな」というこの学派の導きによって、アメリカやイギリスを先頭に世界中の国家が、国営企業や金融機関の民営化、金融・産業の規制緩和、貿易・国際投資の自由化、所得減税と社会保障給付の削減などを次々と断行してきたことは、もはや説明を待たないだろう。

彼は、こうした政策がいかに誤ったものであったのかを、様々な経済学者の議論や世界中の豊富な事例を紹介しながら解説している。もちろん、自由市場主義者の専横を長い間許してきた他の経済学者たちの責任も重く、その意味でこれは経済学全体の罪だということもできる。しかし、彼は世界金融危機が世界大恐慌の二の舞にならなかったのは、自由市場主義経済学とは明らかに異なる他の経済学理論のおかげだったと主張することで、自由市場主義に回収されない経済学の豊かな可能性を擁護しようとしている。つまりこの本は、世界金融危機のせいでその存在意義を疑われつつあった経済学者による弁明（アポロジー）の書でもあるのだ。

タイトルにもある通り、チャンは自由市場主義の立場からは「常識」とされてきた二三ものテーゼを、全て「嘘」だとして退けていく。そこには、「市場は自由でないといけない」「インフレを抑えれば経済は安定し、成長する」などのように、自由市場主義が掲げる標語としては定番のものもあれば、「インターネットは世界を根本的に変えた」「世界は脱工業化時代に突入した」といった、市場に対して一定の警戒心を持っている人でさえも「常識」と信じて疑わないようなものまでもが含まれている。

現在から見ると、チャンがスキャンダラスに暴露した「嘘」が一般にも「嘘」として認識され、彼の見解の方がむしろ新しい「常識」になりつつあるものも少なくない。例えば、日本のアベノミクスのように明らかなインフレ誘導を含む財政・金融政策が登場したのも、アメリカのトランプ政権が「米中貿易戦争」の勃発を恐れることなく、最大の貿易相手国である中国に対して平然と制裁関税を課したのも、自由市場主義の考え方とは一線を画している。これらの政策の是非はともかく、世界金融危機が起こるまでの時代とは経済の「常識」が明らかに変わりつつあるのだ。

限定合理性と不確実性のなかで

ただ、チャンが本当に言いたかったことは、インフレ誘導政策や高い関税障壁の有効性などではなかった。彼が自由市場主義を徹底的に批判してきた理由は、「すべて市場に任せるべきだ」という一六番目の「嘘」への反論の中に端的に示されている。それは、我々がどんなに合理的であろうとしても、認識能力の限界によって限られた合理性、いわゆる「限定合理性」しか持ち得ない、というものである。そんな我々にとって世界は不確実性で溢れており、それは単に未来に起こる（であろう）ことを正確に知ることができないだけでなく、そもそもどんな不慮の出来事が起こるのかさえわからないことを意味している。

チャンはこうした限定合理性に基づく不確実の概念を最も巧みに説明したものとして、意外にもジョージ・W・ブッシュ政権の国防長官だったドナルド・ラムズフェルドの言葉を引用している。二〇〇二年にアフガニスタン情勢に関する記者会見で、ラムズフェルドはこう述べたという。

　知られている・知られているものがある。われわれが知っていると知っているものがある。知られている・知られていないものがある。つまり、われわれが知らないと知っているものがある。しかし、知られていない・知られていないものもある。われわれが知らないと知っていないものもある。

　これに続けてチャンは、「この発言に二〇〇三年度〈ちんぷんかんぷん大賞〉を授与した《平明英語表現（プレイン・イングリッシュ）キャンペーン》の人々は、これが人間の合理性を理解するうえで重要なコメントであることまでわかっていたわけではないだろう、とわたしは思う」と、冗談めいた感想を添えている。そこから議論は、選択の自由を敢えて制限することが不確実性を減ずる解決策となり得る、という風に展開していき、最終的には政府による金融市場の規制が必要との結論が導き出される。

　しかし、こうした具体的な政策提言よりもはるかに重要なのは、チャンが限定合理性の自覚、つまり「知らないと知っていないもの」があることの自覚を、彼が擁護しようとする正しい経済学にとって欠くべからざる前提だと見なしている事実である。「無知」の問題と深く結びついているという点で、経済学者チャンの弁明は、どこか古代ギリシャの哲学者ソクラテスの弁明を思わせるところがある。

しかし、二人の弁明を比較する時、我々は経済学が抱える「無知」の根深さを痛感することとなるのだ。

「知らない」という自覚

現代経済学の主流派である自由市場主義（新自由主義）のことを、世界経済を破綻の一歩手前まで追いやった元凶として徹底的に批判してきた経済学者のハジュン・チャン。彼はその一方で、経済学という営み全体にはまだ豊かな可能性が残されていると主張し、この学問に向けられた不信に対する弁明（アポロジー）を展開する。そして、彼の考える正しい経済学にとって不可欠な前提となるのが、我々が限定合理性しか持ち得ないという自覚、つまり、どこまでいっても自分たちには「知らないと知っていないもの」があるという自覚を持つことであった。

こうした自覚を重視するチャンの議論は、古代ギリシャの哲人ソクラテスをどこか彷彿とさせる。というのも、ソクラテスもまた、自身にかけられたあらぬ疑いを晴らそうと裁判で弁明（アポロギア）を行う際、「知らない」ことの自覚について語っていたからである。もう少し厳密に言うならば、プラトンは『ソクラテスの弁明』の中で、彼の師が疑いを晴らそうとするどころか、むしろ裁判に集まった人々をいたずらに挑発してその心証を損なおうとするかのように、この「知らない」ことの自覚について毅然とした態度で説く姿を描いているのだ。

ソクラテス本人が実際にそのような弁明を行ったのか、それは今となっては確認しようがない。だが、歴史的事実に忠実であるにせよ、プラトンの創作による虚構であるにせよ、裁判で自らの立場を不利にするような弁明をしたソクラテスを克明に描写することが、その名誉を回復することにつながるとプラトンは考えた。しかし、それは一体何故だったのか。

彼の意図を理解するためには、ソクラテスが裁判にかけられた当時のアテナイの状況と、そこでソクラテスが人々からどのような目で見られていたのかを知る必要がある。古代ギリシャを代表する有力なポリス（都市国家）であり、ソクラテスの故郷でもあるアテナイは、大指導者ペリクレスのもとで民主政治の最盛期を迎えるもすぐに衰退し始め、約三〇年に渡るペロポネソス戦争の結果、スパルタに降伏してしまう。その後、三〇人政権という親スパルタ派の独裁政権が樹立されるのだが、翌年には民主派が実権を取り戻すという混沌とした時代を迎えていた。ソクラテスはそんな中、三〇人政権に近い、反民主的な政治信条を持つ人物だと見なされていた。

また、当時のアテナイではソフィストと呼ばれる職業的知識人が活躍していたが、富裕層の子弟に弁論術などの知識を教えて生計を立てるソフィストたちは大きな社会的影響力を持つ一方で、詭弁を弄するいかがわしい存在として嫌悪されることも少なくなかった。ソクラテスもこのようなソフィストの一人だと見られており、「知者」として尊敬されてもいたが揶揄や警戒の対象にもなっていた。ソクラテスが告発され裁判に引きずり出された背景には、彼のことを反民主的な性向を持った危険な弁論家として敵視する人々の存在があったのである。

ソクラテスの「無知の知」

こうして紀元前三九九年、ソクラテスは七〇歳という高齢の身にもかかわらず、不敬神および若者を堕落させた罪で告発されることとなったのだが、その裁判でソクラテスは突然、自分に対しては二種類の告発者がいると語り始める。今回の裁判の原告となった者たちとは別に、それよりもずっと前からソクラテスのことを妬み中傷し続けてきた人々、つまり「昔からの告発者」が存在していると言うのだ。このような人々は長年に渡って無数に存在するため、誰がそうだと名指しすることもできず、ソクラテスには反論する機会も与えられない。しかし、彼らの流してきた噂によって、アテナイの市民たちはソクラテスに誤った印象を抱くようになり、それが元となって遂にソクラテスは本当の裁判にかけられることとなってしまったのである。

それでは、「昔からの告発者」はどのような中傷を繰り広げてきたのか。それはおおよそこのような主張にまとめられると、ソクラテスは告訴状のような形式で説明する。

ソクラテスは不正を犯し、余計なことをしている。地下と天空のことを探求し、弱論を強弁し、またまさにその類のことを他の人々に教えることで。

西洋古代哲学の研究者である納富信留によると、「地下と天空のことを探求」するとは、ソクラテスよりも前の時代にイオニア地方で始まった自然哲学の潮流を念頭に置いたものだという。「万物の根源は水である」と説いたタレスやその弟子であるアナクシマンドロス以来、自然哲学者たちはこの世界の全てを合理的に説明しようとし、神話的な語りを拒否した。そのため、彼らは時に神を敬わない不正の輩だと見なされた。ソクラテスが不敬神の罪を着せられたのは、彼がこうした自然哲学者と似たような存在だと思われたからなのである。

そして、「弱論を強弁」するとは、ソフィストによる弁論術を指している。先述のようにソクラテスはソフィストの一員だと見られていたため、いかがわしい詭弁によって若者を魅了し、彼らを煽動してアテナイの平和を乱していると訴えられてしまった。要するに今回の告発は、ソクラテスが自然哲学者とソフィストという、当時のギリシャ社会における知識人たちと同一視されていることに由来していた。それゆえ、ソクラテスは裁判の告発内容に対して弁明する前に、古くから自らに向けられてきた「知者」という評判を覆す必要があると考えたのである。

ソクラテスは、自然哲学者が説くような森羅万象についての合理的知識を持たないこと、更にソフィストのように人々への教育を生業として金銭を稼いだことがないことを根拠に、自分が「知者」などではないと主張する。それにもかかわらず彼が周囲から「知者」だと誤解されてきた理由として、ソクラテスは弟子のカイレフォンがデルフォイの神殿に出向いた際にアポロンの神から与えられた、「ソクラテスより知恵ある者はいない」という神託の存在を挙げる。

「知者」ではないと思っているのに、神のお告げによると自分は「知恵ある者」なのだという。ソクラテスも当初はこの神託に驚き困惑したが、神を敬う彼はこれを一種の謎かけと捉え、自分は一体何者なのか、「知恵がある」とはどういう意味なのかを探求するようになった。そして、自分より「知恵」がありそうな人の元を訪ねては対話を重ねるうちに、ソクラテスはこう推論するようになったのである。

私はこの人間よりは知恵がある。それは、たぶん私たちのどちらも立派で善いことを何一つ知ってはいないのだが、この人は知らないのに知っていると思っているのに対して、私のほうは、知らないので、ちょうどそのとおり、知らないと思っているのだから。どうやら、なにかそのほんの小さな点で、私はこの人よりも知恵があるようだ。つまり、私は、知らないことを、知らないと思っているという点で。

こうしたソクラテスの自覚は俗に「無知の知」と呼ばれて広く知られてきたが、プラトン研究者の納富は、この「無知の知」という表現は誤りであると厳しく批判している。何故ならソクラテス（正確にはプラトンが描き出すソクラテス）は、なんとなく「思う」ことと、根拠をもって真理を「知る」ことを明確に区別して使っているからだ。

ラムズフェルドの「不知の知」

ソクラテスは自分が真理を「知らないと知っている」わけではない。あくまで、「知らないと思っている」に過ぎない。自分が真理を「知らない」ことでさえも、確証は得られていないからである。そもそも、ソクラテスにしてみれば真理を「知る」のは神のみであり、人間に許されている「知恵」というのはせいぜい「知らないと思っている」くらいのことなのであった。それに対して、世間の自称「知者」たちは、ソクラテスと同様、真理については何も「知らない」にもかかわらず、自分では大切なことを「知っていると思い込んでいる」、もしくは、「知らないと思っていない」のだ。

納富は、プラトンが「思う」と「知る」だけでなく、単に「知らない」状態のことをアグノイア、「知らない」ことに気づいていない恥ずべき状態のことをアマティアと、その著作の中で一貫して使い分けていると指摘し、前者を「不知」、後者を「無知」と訳し分けることを提案している。そうだとすると、ソクラテスの心境は「無知の知」というよりは「不知の自覚」と呼ぶべきであり、ソクラテスが図らずも暴いてしまったのは「知者」を自認する者たちの「不知の無自覚」、つまり「無知」だったのである。

「思う」と「知る」、そしてそこから導き出される「不知」と「無知」という、この二種類の厳格な区別を重視したプラトンの観点から見ると、ハジュン・チャンが経済学のための弁明に際して持ち出した限定合理性の自覚は、ソクラテスの「不知の自覚」に肉薄しつつも、ややもすればあっという間に「無知」へと転がり落ちてしまう、危うい考え方だということができる。

チャンが引用していたドナルド・ラムズフェルドの言葉に即して言うと、人間には必ず「知らないと知っていないもの」があるのだ、という現実を受け入れる態度は、確かに「不知」に対するソクラテスの謙虚さとよく似ている。しかし、ラムズフェルドはその一方で、「知らないと知っていないもの」の他に、「知っていると知っているもの」と「知らないと知っているもの」があることも認めていた。言い換えると、ラムズフェルドは「知の知」や「不知の知」を否定してはいないのである。そして、「知者」を自認することは、ソクラテスおよびプラトンからすれば恥ずべき「無知」に他ならなかった。

よく考えてみれば、社会科学の代表選手である経済学者とは、合理的思考を追求する自然哲学者と弁論術で社会を動かそうとするソフィスト、その双方の正統後継者なのだと言うことができる。チャンの弁明が意味しているのは、経済学者がこうした偽りの「知者」などではなく、ソクラテスのような「哲学者」になり得るということなのかも知れない。だが、本当にそんなことは可能なのだろうか。

一つだけわかっているのは、「我々が提唱する最新学説こそ社会問題を解決する唯一の理論だ」という主張を引っさげて現れる経済学者は、おそらく「哲学者」などではない、「無知」な輩ということだ。

第5章　国家とアンソロポロジー

「おかしな」人とうしろめたさ

文化人類学者の松村圭一郎はその著書『うしろめたさの人類学』の中で、彼が主なフィールドにしてきたエチオピアの田舎町では、よく「おかしな」人に出くわすと書いている。彼のような外国人は目立つので、「おかしな」人にしょっちゅう絡まれるそうだ。買い物中にこぎれいな格好をした青年がニコニコしながら英語で話しかけてきたかと思えば、何を言っているのか意味がつかめず、よく見ると笑顔もどこかゆがんでいる。松村が戸惑っていると、通りすがりの人が青年の手を引いて「おいで」と連れていく。町の人たちは、この青年のような人たちのことをよくわかっていて、ときに笑いものにしながらも関わり合いながら暮らしているのだ。

彼が調査に入った村に住む、アブドという名の青年の話はさらに衝撃的なものだ。ぶつぶつとつぶやきながらふらっと人の家に入ってくるこの青年に、村の人たちは「元気にしてるか？」「食べていきな」などと声をかけたり食事をふるまったりしているのだが、アブドが隣村の家に火をつけて全焼させてしまうという事件が起こった時でさえも、村人たちは彼を捕まえるわけでもなく寛容な態度で接していたのだという。

数年後、その村を再訪した松村がトウモロコシの収穫作業に立ち会っていた時、働いている若者の中に見覚えのある男を見つけて彼は驚いた。「おかしな」青年だったあのアブドが、すっかり見違えた姿で自活を始めていたのだ。この村では他にも、精神的におかしくなったりまた元に戻ったりした人が何人もいて、村人たちはそのような状況を日常のこととして受け入れていたのである。

その一方で、松村は、大阪の地下鉄の駅で見かけた小柄な老婆の姿が目に焼きついていると語る。きちんと身だしなみを整えたその女性は、人並みに背を向け、小さな布の上で壁に向かってじっと正座していた。彼女が社会から孤立している理由は彼女だけの選択の結果ではない。自分も含め、彼女の姿を視線の隅に捉えながらも「関わらない」という選択をした多くの人々が、一緒になってその現実を作り出しているのだ。彼はそう言って、日本社会のあり方に疑問を投げかける。

「おかしな」人の問題だけではない。世界で最も貧しい国の一つであるエチオピアを訪れると、どうしようもない格差を突きつけられることになる。日本国内にも格差は間違いなく存在するが、それは巧妙に覆い隠されている。ホームレスや独居老人、障害に苦しむ人々は、できるだけ人目につかない場所に追いやられ、街はなるべく「きれい」に保たれてしまう。しかし、エチオピアではそうはいかない。我々の多くが当たり前のように享受している健康や豊かさなどの全てが、「うしろめたさ」を喚起する原因となるのだ。

批判一辺倒から再構築へ　松村は、こうした「うしろめたさ」という自責の感情を、公平さを取り戻そうとする倫理的行為につなげるのが、人類学、特に彼の提唱する構築人類学の使命なのだと考えているのだが、ここで注目すべきなのは、構築人類学を支える構築主義という考え方に対する彼のスタンスである。ここで言う構築主義とは、社会におけるあらゆることは固定的な本質を持たず、様々な作用の中で構築されてきたものだという考える立場のことである。「男らしさ」「女らしさ」といった、ジェンダーに関する議論がその代表的な例として挙げられるだろう。構築主義の考え方は、人類学をはじめとする人文社会科学においては、もはや常識となっている。

松村は、こうした視点が既存の秩序や体制を批判する上で有効だったため、構築主義が批判理論の一つとされてきたことに触れつつ、次のように述べている。

カナダの哲学者であるイアン・ハッキングは、構築主義者の多くが社会の現状に批判的なので、(1)Xのあり方には必然性がない→(2)Xは悪い→(3)Xを排除すればましになる、といった論理構成をとる、と指摘する。

いろんな現象の構築性を批判するのはいい。でも批判のあとには、どこか虚しさが残る。男らしさも、日本人らしさも、社会的に、歴史的に、構築されてきたのはわかった。あらたな概念がつくられると、ぼくらの感覚や物の見方もがらっと変わってしまう。それもいい。で、じゃあどうしたらいいの？　そんな疑問が浮かぶ。

そう言って彼は、これまで多くの構築主義者が囚われてきた「構築されている（だからそんなものに正当性はない！）」という批判一辺倒の態度から、「どこをどうやったら構築しなおせるのか？」という問いに向き合う姿勢への転換が、構築人類学の方向性なのだと主張している。そして、フィールドワークという手法をとる人類学者の思考がどうしても身近な「社会」の範囲内に留まりがちであり、それを越えた「世界」と呼べるような領域を再構築することまで及んでこなかったことを指摘する。

「線の引き方をずらす」とは

こうした反省をもとに、「世界」を構成する重要な二つのシステム、「国家」と「市場」の問題へと彼は論を進めていく。その際も、単なる批判理論としての構築主義ではなく、再構築の手がかりを探る知としての構築主義の立場から、これらのシステムとどのように関わっていくべきかを模索している。彼のこのような主体的な姿勢は、フィールドワーカーとして「社会」の観察に専念することを美徳とする人類学者としては、かなり異色だと言えるかも知れない。

これまで人類学は、西洋近代の国民国家や市場経済といった巨大な力を批判してきた。でも、「わたし」という存在から切り離された力を批判するだけの時代は終わりつつある。「わたし」が行為している、その同じ地平で国家や市場といった「世界」が同時に生成している。「世界」は、「社会」を越えた先にあるのではなく、そのすぐ横にある。

松村は、我々が「国家権力」や「市場原理」といった言葉に惑わされて、こうしたシステムが上からの暴力的な支配というよりはむしろ、自分たちの主体的な行為の中で現実化している事実を忘却しがちだと警鐘を鳴らす。そして、人々に息苦しさを感じさせている「国家」や「市場」の常識的な線引きを疑い、その線の引き方をずらすことによって、「国家」や「市場」と「わたし」との間にスキマ、つまり自律的な「社会」を作り出すことを目指すことが、構築人類学の歩むべき道なのだという。

こうした松村の主張は概ねうなずけるものだが、自律的な「社会」を作ることは果たして「世界」の再構築と呼ぶのにふさわしいのだろうか。ちなみに、彼は線の引き方をずらす実践例として、「個人が自分のできる範囲で、国家の責任とされる再分配を引き受ける」ことや「市場の壁を越えて生産者と消費者とのつながりをつくりだす」ことを挙げているのだが、彼が考える自律的な「社会」像は、市民が政府や企業の活動に回収されない独自の活動領域を持つべきだという、いわゆる市民社会論の範囲を出るものではないように見える。

もしこの見立てが正しいのだとすると、スキマとしての「社会」を構想するだけでは「世界」に公平さを回復するのは不十分だということになる。従来の市民社会論が無駄だったとは言わないまでも、衰えていく一方に見える我々の公共心を育むには、明らかに力不足の感が否めないからだ。むしろ、「社会」と「世界」を隔てていた線を薄く、しかし太く引き直すことによって、「社会」と「世界」が重なり合うような領域を作り出すという方が、現代的な課題にふさわしい比喩なのではないだろうか。

国家の「家」性を見つめ直す

松村は先ほど、「世界」を形作る主要な二つの仕組みとして「国家」と「市場」を並列的に論じていたが、「社会」と「世界」を重ね合わせようとするならば、我々は「国家」と「市場」の大きな違いに注目せざるを得ない。それは、「市場」がどこまでも領域や空間、つまり「場」として想像される概念である一方で、「国家」は「場」としてだけでなく行為する主体、つまり「人」としての側面も持つという点である。「社会」を「世界」と重ね合わせるということは、我々が「社会」の一員であると同時に「国家」の一員でもあることを、これまでよりも柔軟な形で、主体的に引き受けることを意味するのではないか。

市民社会論はそもそも、「国家」という制度的現実が市民社会という領域の外部にあることを前提にしている。しかし、単なる統治機構としてよそよそしく眺めるにせよ、恐るべき権力装置として敵視するにせよ、従来の議論は「国家」概念をあまりに固定的に捉え過ぎている。このような「国家」観そのものが社会的に構築されてきたものであり、我々次第で構築し直すことができる余地があるのだとすれば、我々は改めて「国家」とはどういうものであり得るのかを再検討すべき所に来たのだと言える。

ところで、「国家」という日本語をもう一度冷静に見てみると、そこには「家」が含まれていることがわかる。わかるも何も一目瞭然なのだが、一般的に我々が「国家」の語によって想定している近代国家（modern state）は、君主が我が物として支配する家産制国家（patrimonial state）を克服して登場してきたと考えられてきた。つまり「国家」は「家」などではなく、むしろ「家」としての性格を否定する国こそがまともな「国家」だとされている。日本語の「国家」はこうした近代的「国家」観からすると、もはや時代にそぐわない語弊のある表現のように見える。

しかし、こうは考えられないだろうか。「国家」の持つ「家」性をもう一度見つめ直すことが、近代的な「国家」の限界を乗り越えるヒントにつながるかも知れないと。これだけならただの悪ふざけかと思われても仕方ないが、公平さや公共心に見られる「公」の文字を「おおやけ」と読む時、我々は日本語で「国家」や「公」について考える際、「家」という概念を無視することは難しいと気づかざるを得ない。何故なら、「おおやけ」は元々、「大きな家」という原義を持っているからだ。

「国家」を我が事として引き受ける

日常的な生活空間である「社会」と、それを越えて存在する制度的現実としての「世界」。この二つが緩やかに重なり合う領域を作り出すことによって、小さな「社会」に暮らす我々が公共心を育み、バランスを欠いたこの「世界」に公平さを回復しようとする努力が今、求められている。そのためには、「国家」に対して我々が抱いている固定観念を見直し、「社会」と「世界」の重なり合う領域に適合的な「国家」像を再構築する必要があるのではないか。

このような問題意識のもと、改めて「国家」について考えようとすると、我々が自明視してきた近代国家という「国家」のあり方は、その（日本語における）名称に反して、「家」という性格を否定して登場した概念だという事実に行き当たる。君主が国を自分の所有物、つまり「家産」として支配するような体制はもはや過去の遺物であり、「国家」のあるべき姿ではない。「国家」はその成員にとって、誰のものでもあり、かつ誰のものでもないような、ニュートラルな機構であるべきである。我々はこのような考え方を当然のものとして受け入れてきたのだった。

しかしその結果、我々の多くは「国家」に対して二通りの態度をとるようになってしまった。一つは、「国家」を単なる統治のための機構として、どこかよそよそしく遠くから傍観する態度であり、もう一つは、「国家」のことを自分たちとは異なる誰かによって占有されている、恐ろしい権力装置だと捉えて敵視する態度である。この二つは矛盾を孕みつつも、「国家」の問題を我が事として主体的に引き受けることができないという意味では同じ方向を向いている。そもそも、「国家」を我が事として引き受けるための営みが民主主義であり、「国家」の一員としての責任を果たすような人のことを市民と呼ぶのだということを思い起こせば、近代国家と民主主義は奇妙な形でねじれてしまっているのである。

「国家」と主体的に関わるためにはどうすれば良いのだろうか。もちろんその答えは、我々に一方的に奉仕と自己犠牲を強いるような、いわゆる「国家主義」的なイデオロギーの採用であってはならない。同時に、自己利益を追求するために「国家」という統治機構をデタラメに利用しても良いと考えることでもないはずだ。それは「国家」の私物化という政治的腐敗に他ならないからだ。我々が「公」に対する平衡感覚を保つためには、実は「国家」が元々持っている「家」性を再評価すべきなのではないか。少なくとも日本に暮らす我々は、何故「公（おおやけ）」が「大きな家」という原義を持っているのかを、改めて見直すべきなのではないだろうか。

血縁にこだわらない日本の「イエ」

日本の歴史において「家」、厳密に言えば「イエ」というものがどのような機能を持つ人間集団として形成されてきたのか、そして、「イエ」の組織原理を中心とした社会システムが日本の近代化にどのような影響を与えたかを分析した古典的研究に、『文明としてのイエ社会』がある。その共著者であり、野心的な学際研究を展開した理論経済学者の村上泰亮は、「イエ」というものが実は、律令国家体制が本格的に動揺する東国地域という特殊歴史文脈においてのみ発生し得た、農耕・軍事の複機能集団であると考える。そして、こうした「イエ組織」に基づく社会、つまり「イエ社会」は、一一世紀から一九世紀後半まで、その過程で少なからぬ危機を経験しながらも存続してきたと主張しているのだ。

村上は「イエ社会」の分析を通じて、日本とヨーロッパの封建制と中世社会システムの違いと、そこから生じる日本の近代化の特質を明らかにしようとした。そして、単なる相対主義に陥ることなく、人類社会の発展図式が多元的であることを示そうとしたのだった。彼の「イエ社会」論が取り上げる論点は多岐に渡っており、その全てをここで紹介することはできないが、「国家」の「家」性を再考察する上で根本的に重要なのは、「イエ社会」が、いわゆる血縁的集団原理によって支配される氏族型社会、「ウジ社会」とは根本的に異なるという点である。

おそらく人類に普遍的な現象として、古代的な社会秩序は血縁関係やその象徴としての部族神信仰を軸に形成される。これが氏族型社会であり、日本においては大王や豪族を中心とした「ウジ社会」として現れた。しかし、農耕社会と遊牧社会の接触によって発生した高度な農耕大文明と、その生活様式が要求する広域社会秩序は、キリスト教や仏教といった有史宗教（普遍宗教）を生み出し、血縁原理や土着信仰を弱体化、もしくは無意味化していく。日本の「ウジ社会」もまた、それまでの原理を離れて新しい統合原理による共同体を志向することになった。「ウジ社会」の集合体であったヤマト王朝は、大陸文明の論理を借りる形で律令国家建設を進めたのである。

しかし、文明の論理に基づく秩序作りは、その歴史文化的基盤を共有しない日本では早々に行き詰まりを見せ、律令国家体制は形骸化していく。ここで登場してきたのが、東国武士団に象徴される「イエ社会」だった。開発農場の経営と防衛を目的とした「イエ」は、競合する他の「イエ」と対抗するために「イエからなるイエ」という複合構造を形成していく。そして、この「イエからなるイエ」の拡張の先に、幕府、つまり大きな「イエ」としての「国家」が成立してきたのである。

ここで興味深いのは、「イエ社会」が血縁原理よりもむしろ、軍事的・灌漑的要請に起因する強い機能的性格、あるいは業績主義的志向によって特徴づけられていることである。機能的であることを重視する「イエ社会」の集団内ヒエラルキーは上向きの流動性が強く、身分の移動がかなり認められる。とは言え、「イエ」は氏族的な結合と全く無縁なはずはない。それならば、どうやって身分の移動を果たすことができるのか。

その答えが、多種多様な養子縁組である。「イエ」はこれを駆使することによって、表面的な氏族関係を維持しながらも、血縁にあまりこだわらない機能性の高い集団を維持してきた。その結果、共同作業をシステマティックに遂行する「イエ」は、その内部に垂直的なヒエラルキーと水平的な同質性を共存させることとなったのである。この性質は、「イエ社会」の最終的な形態である江戸幕藩体制が、中央集権的でありながら分権的でもあるという独特の「国家」になったことにも繋がっている。

忘れられ捏造される「イエ」の歴史

日本に住む我々はこうして、「イエ社会」の原理を前提とした「国家」形成を、八〇〇年という長い時間をかけて行ってきた。しかし、近代国家建設の時代に入ると、それまでの歴史的伝統は忘れられ、捏造されてしまう。特に、明治憲法下で体制を擁護したイデオローグたちは、天皇中心の中央集権体制を作るために、日本が古代以来一貫して「ウジ社会」だったと主張し、しかもそれを「家」という用語を使いながら説明してしまうのである。村上は「日本史における特殊性と普遍性」という論文の中で、次のように述べている。

たとえば穂積八束は、権力と法は家に起源をもち、氏族もそして国家も、血縁的関係としての家制を拡大したものにすぎないとして、古代と現在とを連結しようとする。それ以降くり返し現れる家族国家観にせよ、昭和期の皇国史観にせよ、いずれもその延長上にある。これらの考え方を通して、家(イエ)も、家族・氏族・国家も、そして祖先崇拝も、天皇制も、すべて歴史的展望を全く無視して雑居させられてしまう。そのような概念の雑居の中においてのみ、古代と現在とが連結されえたのである。

近代国家日本の威信を誇りつつも、古代から連綿と続く日本の歴史伝統を世界に類を見ないものとして称揚しようとする、こうした日本主義の立場は、「国家」の「家」性を強調しているように見えるが、単に古代の「ウジ社会」が今も続いていると強弁しているだけに過ぎず、その後の「イエ社会」システムの形成を全く無視してしまっている。

しかも、「ウジ社会」のような氏族型社会は世界史的には普遍的でよくある存在であり、「ウジ社会」が持つ特徴によって日本の特殊性を説明しようとするのは戦略的に失敗している。むしろ、村上が唱えるように、日本が「ウジ社会」から文明原理の模倣としての律令国家体制を経て、「イエ社会」という開かれたシステムを醸成したことこそが極めて個性的だと言える。

そして、日本主義者を厳しく批判した、戦後進歩派と呼ばれた知識人たちも、村上からすれば「イエ社会」の歴史性を見落としたという意味で日本主義者たちと大差はなかった。

たとえば丸山真男は、儒教や仏教以前の「固有信仰」の役割を強調し、「超国家主義」が封建制以上に「縦軸の無限性（天壌無窮の皇運）」によって支えられていることを指摘し、さらに後には、古代まで遡ることによって「つぎつぎになりゆくいきほひ」というテーマを最も日本的なものの核心として抽き出す。同じように川島武宜も、「わが国では、まさに神代の昔より『家』という超個人的な全体的存在がもろもろの家族的関係を包んできており（傍点、筆者）」、そして「日本の社会は、家族および家族的結合から成りたって」いると主張している。古代的要素の残存という事実的判断については、皇国史観と戦後進歩派とはむしろ軌を一にしていた。

こうして見ると、古代を美化する側も、近代を絶対視する側も、その二つが長い中世を経て繋がっているのだという歴史への敬意を失ったからこそ、極めて観念的な「家」像と「国家」像しか提示できなかったのだと言える。我々に求められているのは、この国では長い間、「イエ」原理に基づいた大きな「イエ」を「国家」にするという知恵がソリューションとして選ばれてきたという歴史的事実を深く受け止めることであり、現代において公平な秩序空間を作り出すヒントをそこから探り出すことだろう。

「イエ」というシステムが、氏族や血縁といった「私（わたくし）」の論理から出発しながらも、それを越えた大きな「イエ」、すなわち「公（おおやけ）」の論理を生み出す。このことはもしかすると、日本という「わたくし」を越えて人類という「おおやけ」に貢献するための手がかりを、我々に与えてくれているのかも知れない。

第6章　福祉とセオロジー

「福祉」という言葉のイメージ

皆さんの中に、「幸せになりたくない」という人はいるだろうか。

突然何を言い出すのかと思われるかも知れないが、基本的には誰もが何らかの形で「幸せになりたい」と願っているのではないだろうか。「幸せになりたくない」と公言してはばからない人など、少なくとも個人的には会ったことがないし、もし仮にそんな願望を抱いている人がいたとしても、その人は不幸になれば望みが叶うことになり、望みが叶うことは普通、幸せになることを意味する。だとすれば、その人も広い意味では「幸せになりたい」のではないだろうか。

自分から話を切り出しておいて早くも何を言っているのかわからなくなってきたが、とにかく「幸せになりたい」という願いは普遍的なものだと言っても間違いではないだろう。幸せが指す内容は人それぞれだとしても、人が幸せを求めて一喜一憂しながら日常を過ごしていることに変わりはない。それほどまでに幸せとは、我々の生の基盤となる重要な価値なのだと言うことができる。

その一方で、幸せと重なる意味を持ちながら、どこかよそよそしく響いてしまう言葉がある。それが「福祉」である。英語の welfare（または well-being）には通常、福祉という訳語が当てられるのだが、これらはまた、幸福や繁栄などと訳すこともできる。つまり、福祉は広い意味で幸せの類概念なのだが、それにもかかわらず、我々は日頃幸せを当たり前に追い求めているほどには、福祉について思いを巡らせることはない。それどころか、この言葉にネガティブな雰囲気を感じ取って、敢えて触れないようにしているという人すらいるのではないだろうか。

英語圏では元々、welfare という語の背景に、貧しく惨めな境遇にある人に救いの手を差し伸べる、救貧の思想が存在することが一種の常識となっており、そこから welfare は幸福や繁栄よりも社会保障という意味を担うことがより一般的となってきた。そのため、社会保障の理念は非常に高邁であり、その実践は我々の暮らしに欠くことのできないものではあるのだが、救貧の持つどこか暗く悲しいイメージが福祉にもついて回ることは否めない。

そして、富める者が貧しい者に、恵まれた者が惨めな者に施しを与えるという構図自体が、対等な関係ではなく不均衡で垂直的な関係を前提としている以上、救貧の思想を受け継いだ福祉に対してある種の権力性や差別意識を読み取る人がいるのも無理はないだろう。このように、福祉は幸せを意味するにもかかわらず、むしろ不幸ばかりを連想させてしまう言葉として用いられることがどうしても多いという、それこそ「不幸」な境遇にあるのだ。

福祉の危機と個人主義

もちろん、近代的な福祉の理念やその実践は、自由で平等な個人の権利と尊厳を前提に構築されている。福祉の拡大と充実は社会全体が目指すべき理想であり、サービスの受け手となる社会的弱者が一方的に負い目を感じる必要はないとされてきた。そして、公的セクター（政府）であれ、私的セクター（慈善団体や企業など）であれ、サービスの担い手は気まぐれな好意からではなく明確な社会的責任から福祉に主体的に関わるべきだという観念が広まってきた。民主的な社会においては、福祉サービスの受け手も担い手も我々自身なのであり、我々がお互いに手を取り助け合うという互助の精神こそが福祉の基盤なのだという考えが理想として掲げられてきたのである。

しかし、福祉をめぐる現実は必ずしもそのような理想に沿う形では進行していない。それどころか、互助は時に自助努力に読み替えられ、そして更には自己責任という言葉へと横滑りすることも珍しくない。例えば、少子高齢化と構造的な不況にあえぐようになった政府は、慢性的な赤字体質の原因となる福祉国家政策を軌道修正する際、「民間活力の活用」を大義名分として福祉関連予算を削ってきた。民間でできることは民間でやろう、我々にできることは我々でやろうというスローガンは、確かに表面的には互助の精神にかなうように見える。しかしその実態は、弱者切り捨ての口実に過ぎないのではないだろうか。

政府にできないことは企業に、企業にできないことは慈善団体にと、そうやって福祉を担う責任がたらい回しにされていくうちに、責任の所在は我々自身、それも困窮している弱者としての我々自身にまで縮んでいってしまう。社会的弱者に転落した、もしくは今まさに転落しつつある人自身が担い手になることなど当然困難であり、結局は福祉サービスの喪失を招くことになる。しかし、垂直的関係から水平的関係へ、救貧から互助へと福祉のあり方が見直されてきたという、まさにその事実が、これまで福祉を担ってきた主体からそのエートスを失わせる一方で、福祉の恩恵を受けられなくなっていく者たちが泣き寝入りせざるを得ない状況をお膳立てしてしまったのだ。

福祉がここまで危機的な状況に陥った元凶として、自由市場を称揚して政府の介入を最小限に抑えようとする新自由主義的経済政策が槍玉に上がることは現代では日常茶飯事だと言える。そして、新自由主義が福祉国家政策を攻撃して徹底的に弱体化させてきたことは紛れもない事実である。だがそれでは、新自由主義の考え方さえなければ、我々は誰の妨害も受けることなく福祉の理想を実現することができるかと言えば、それはかなり疑問だと言わざるを得ない。現代を生きる人々が政府による再分配よりも市場での交換を通じた自己利益の追求を優先するのは、究極的には近代社会の中核的な原理である個人主義から導き出される帰結なのであり、新自由主義もまた近代個人主義の産物に過ぎないからである。

個人主義を中心に形成された近代的な諸制度は福祉の価値を掘り崩し、ただでさえどこかしらネガティブな印象を人に与えるこの言葉から人々をますます遠ざけてしまった。不遇をかこつ人に手を差し伸べる人は少なく、自分のことは自分で守れと冷たく言い放ったその言葉が、自分自身が転落していく時にはブーメランとなって突き刺さってしまう。そのような寒々しい時代状況にあることは頭では十分理解しているはずなのに、我々はそれでも福祉というものと上手く付き合えないまま途方に暮れている。これでは互助どころではない。相互不信と自滅の道をひた走っているかのようである。これほどまでに「不幸」な境遇にある我々および福祉を救うには、一体どうすればいいのだろうか。

互助を支える「福祉の哲学」

公共政策および科学哲学の研究者である広井良典は、自身が編著者を務めた『福祉の哲学とは何か――ポスト成長時代の幸福・価値・社会構想』の第1章「なぜいま福祉の哲学か」の中で、現代社会において福祉が抱える意義や問題について多岐に渡る論点を提示している。例えば、日本では承認欲求のような高次の欲求が多くの人々の関心事になる一方で、格差や貧困の拡大により基本的な生存が脅かされる状況が広がるという「福祉の二極化」が起こっていることや、「幸福」について語ることには慎重でむしろ「不幸を減らす」ことに重点を置くロールズ的なリベラリズムと、「幸福」や「善」「徳」といった内面的価値について積極的に語ろうとするコミュニタリアニズムが、福祉政策において相補的な関係にあることなどが紹介されている。

しかし、広井の議論で特筆すべきなのは、福祉のあり方を考える上で、「公―共―私」という原理ないし主体の軸と「ローカル―ナショナル―グローバル」という空間軸を導入する必要性を説いているところである。政府による再分配を意味する「公」の原理、共同体による互酬性を旨とする「共」の原理、市場による交換を是とする「私」の原理は、そのそれぞれが地域（ローカル）、国家（ナショナル）、地球（グローバル）という三つのレベルで異なる形をとるが、工業化社会においては三つの原理のどれもが基本的には国家のレベルに集約されてきたと、広井は述べる。だが、情報化および金融化の時代へと変わるにつれ、「私」の原理がグローバルのレベルまで拡大した世界市場が成立していく。しかし、それに対応するグローバルレベルでの再分配と互助という福祉の仕組みは今なお脆弱であるため、我々は世界市場とその「私」的原理に翻弄されることになったのだ。

彼はそのため、「公―共―私」と「ローカル―ナショナル―グローバル」の分立とバランスを確立していくこと、その際、特にローカルレベルでの「共」的原理、つまりローカル・コミュニティを基盤にすることが、これからの時代の福祉にとって重要な課題だと考える。そして、ローカル・コミュニティにおける互助から、着実にナショナル、そしてグローバルな次元へと互助を積み上げていくために必要な、新しい時代の福祉思想を構想しなければならない。「福祉の哲学」とは、このことを意味していたのだと言える。

そこで広井は、日本の政治思想史を専門とするテツオ・ナジタの『相互扶助の経済』を参照しながら、江戸時代の農政家である二宮尊徳の思想を日本の福祉思想の原型として再評価する。尊徳が主導した報徳運動は、個々の農村の復興に成功しただけでなく、日本の伝統的な経済的互助システムである「講」を、村の境界を越えて広げていったことでも知られている。つまり、尊徳の福祉思想は、コミュニティ内の互助関係が外部者の排除に反転するという悪しき共同体主義に陥ることなく、より広範なレベルの互助へと飛躍することを可能にするものだったのだ。しかし、それは何故なのか。

結論から言うと、それは尊徳が「自然」、それも「天」のような普遍的な理念と結びついた、コミュニティを超えた「自然」という価値原理を重視していたからであった。広井は尊徳の「神がひとさじ、儒仏半さじずつ」という言葉を引きながら、彼の「自然」が、神道的な自然信仰と普遍思想である仏教や儒教とが融合した性格を持っていたことを指摘している。

しかし、これは更に言い換えるならば、尊徳の中で「神々」を信じる素朴で土着的な信仰と、「神々」とは一定の距離を置く思想が、矛盾を孕みながらも結びついていることを示している。「福祉の哲学」はここで突然、「神々」の信仰問題と直面することになるのだ。

神仏儒という「自然」観？

本来は「幸福」を意味するはずの福祉が、むしろネガティブなイメージを連想させるものとなってしまい、人々にとってよそよそしいものになっていること。そして、新自由主義やその背後にある近代的個人主義の弊害によって、福祉の実践は危機的な状況に陥っていること。

福祉をめぐるこうした「不幸」な現実を改善するためには、ローカルレベルでの互助をより普遍的な互助へと育てるための思想、「福祉の哲学」が必要だと言える。そして、新しい時代の「福祉の哲学」を構想する上で、「神がひとさじ、儒仏半さじずつ」という言葉に象徴される二宮尊徳の「自然」観が、日本の我々にとっては重要な導きの糸になるだろう。しかし、もしそうだとして、その「自然」観とはどのようなものなのか。神道のような土着信仰に基づく思想と、儒教や仏教のような外来の普遍思想は、どのような形でその「自然」観を形成しているのだろうか。

「福祉の哲学」に関する議論を主導する広井によると、自然という存在は元々、共同体においては具体的な里山や生き物として捉えられ、共同体と一体のものとしてその内部で完結し、その境界を越え出るものではない。しかし、それが普遍的理念としての「自然」になって初めて、個々の共同体ないしコミュニティを超えた「原理」になるのだという。

確かに、村落の生活に密着した自然物への素朴な信仰、そしてそれに支えられた同胞意識は、ともすれば余所者を排除する根拠にもなり得る。いわゆる「ムラ意識」という内向きの倫理である。そして、こうした内向きの倫理は互助を促進すると同時に、相互監視的な同調圧力も生み出しやすい。それに対して、儒教における「天」のような概念を媒介に「原理としての自然」が確立すれば、同じ「自然」を共有する仲間として領域横断的な助け合いが可能になるだけでなく、内輪だけでしか通じない理不尽な掟を「自然」の名の下に相対化する道が開かれる。

生活にある程度密着しつつも一般原理としての性格を備えたこのような「自然」観は、ローカルなスピリチュアリティとユニバーサルな論理性の融合によって成立すると考えられるのだが、それは近代以前の日本においては、「神仏儒」と表せるような形で存在したと広井は主張している。そしてこの「神仏儒」とは、二宮尊徳の「神がひとさじ、儒仏半さじずつ」という発言を基にしたものである。これは、尊徳の弟子であった福住正兄（まさえ）が著した『二宮翁夜話』に収められた、「神五分儒仏二分五」というエピソードに出てくるのだが、そもそも尊徳はどのような意図で言ったのだろうか。

『夜話』によると、ある時尊徳はこのような話をしたという。神道と儒教、仏教にはどれも長所と短所があり、神道は開国の道、儒教は治国の道、そして仏教は治心の道と、それぞれ専門とするところが違う。だから私はこの三つの道の大事なところだけを取り、大事でないところは捨て、人間界無上の教えを立てた。これを報徳教といい、たわむれに「神儒仏正味一粒丸」と名づけた。その効能は数えきれない。これを聞いた弟子の一人がその分量を尋ねた時に、尊徳は先ほどから繰り返し出てきている言葉を口にしたのだ。

話を聞いていた別の者が円をT字に分割した図を描いて、それはこのようなものですかと質問すると、尊徳は笑って答えた。世の中にこんな寄せ物のような丸薬があるものか、丸薬はよくまぜ合わせて中身が何物ともわからないようにする必要があるのだ、と。

「神仏儒」の習合

確かにこのエピソードからは、広井が述べていた通り、尊徳が「神仏儒」（尊徳自身の言い方では「神儒仏」）を自身の思想の核に据えていたことがよくわかる。ただ、「人間界無上の教え」「よくまぜ合わせて」などの表現に着目すると、これをそのまま「自然」観と呼ぶのがふさわしいのかどうかはかなり疑問が残る。人間中心主義的でスピリチュアリティの匂いが薄く、素朴な信仰に基づくというにはあまりに作為的な考え方だからだ。

実際、『夜話』を読むと、尊徳は何度も天道と人道は別物であると説いている。天道とは「自然の道」であり、人道は「作為の道」だというのだ。そうだとすると、尊徳の「神仏儒」に関する発言はむしろ「作為の道」についての見解であり、「自然の道」について語ったものではないと解釈する方がしっくり来る。

もちろん、「自然の道」と「作為の道」との違いをわきまえるようにと戒める尊徳は、何らかの「自然」観に基づいてこの二つを区別しており、「作為の道」の理想的なあり方である「神仏儒」も、間接的な意味で彼の「自然」観から出てきた考えだと言うことはできる。しかしここまで来ると、もはや「自然」観云々というよりも、「神仏儒」がいかにして融合し得るのかを検討する方が重要に思われる。仏僧や儒学者の高尚な議論を空論として遠ざけ、農政の実践に役立つ知識を大事にした尊徳が聞いたら嫌がるかも知れないが、神道と仏教と儒教をめぐる一種の「神学論争」が今、求められているのだ。

日本の歴史を振り返ると、神道的な伝統と仏教的な伝統が融合する、いわゆる神仏習合が起こってきたことはよく知られている。また、日本人の祖先崇拝は、土着的な伝統と儒教の考えが結びついたものである。そして、儒教と仏教の間には日本に伝わる以前から少なからぬ思想対立が存在しているが、議論を共有し対話を繰り返してきたという伝統がある。このように、「神仏儒」は長い時間をかけて融合してきたのであり、神仏習合ならぬ「神仏儒習合」こそが日本の思想伝統だと言っても過言ではない。

しかし、ありとあらゆるものに宿る「神々」、つまり八百万(やおよろず)の神を崇め、その存在を認める土着的な信仰である神道の考え方と、仏教や儒教のような普遍思想との食い合わせは決して良くはない。一般的に言えば、土着信仰は普遍思想によって非合理的な迷信として否定され、その力を失う傾向にある。それにもかかわらず日本において、少なくとも尊徳においては、「神仏儒」は原理的対立によって分裂することなく共存しているように見える。これは何故なのだろうか。普遍思想の理解が不徹底だから、神道との矛盾に気づかなかったということなのだろうか。

おそらくそうではない。「神仏儒」が共存できるのは、知的怠慢による非合理的な習合が起こっているからではなく、むしろある種の合理性がその根底にあるからなのだ。尊徳の「神仏儒」とは、彼の徹底的な思考が導き出した論理的必然の産物なのである。

「二間性」の自覚＝「福祉の哲学」

西洋論理学・哲学の研究のみならず、東洋思想に内在する西洋とは異質の「合理性」を探究したことで知られる哲学者の末木剛博は、『日本思想考究――論理と構造』に収められた「二宮尊徳の合理思想」という論文の中でこう述べている。尊徳の実践論としての報徳思想は早くから結晶し、実行に移されていたが、その原理を検討しその根拠を反省することによって自己の哲学を確立できたのは後年になってからである。つまり、報徳の実践が先にあって、これを基礎づける哲学は後から考えられたものであった。しかし、心情的・本能的に信じていた報徳の原理に哲学的な基礎づけが施された時、報徳行は素朴な善行の域を超えて確乎たる根底をもつ救世の行為となる。尊徳の報徳行は、その哲学の成立によって真の完成を見たのだ、と。

尊徳にとって、報徳とは利己と利他が相即することである。それでは何故、利己と利他は相即関係で結びつくのか。末木は、尊徳がこれを「二間」という独特な言葉で基礎づけていることに着目する。「二間」とは、自然界に生存するものが全て天地の間にあるように、全ての事物が「あいだ」に成立するということを示す用語である。つまり、この世には一個で独立して存在し得る実体などなく、二項関係によってその存在および性格が定まる「二間的存在」しかないということになる。そして我々人間もまた、「二間性」をその本質としている。

末木は、尊徳が提唱するこの「二間性」の概念が、仏教の「相依性」や周易（易経）の「陰陽和合」などに源を持つと推測し、東洋の思想としては目新しいものではなく、むしろ正統派の概念だと説明している。それでは尊徳の「二間性」のどこが独創的かと言えば、この概念によって実生活の経済道徳を基礎づけた点であり、「二間性」を我々人間が自覚することによって報徳思想が成立すると考えた点だというのだ。ちなみに、ここでいう実生活の経済道徳とは、我々が「福祉の哲学」と呼んできたものと同一視しても構わないだろう。

人間がその「二間性」を自覚してお互いを肯定しあうように行動する時、自覚的な互助が成立する。反対に、「二間性」を自覚せず他者を否定する時には、相奪・相剋の世界が生じる。「二間性」の徹底的な自覚こそが、互助の報徳行を成立させる鍵なのである。だから尊徳は、天道と人道がどちらか一方に回収されたり否定されたりしないことを重視するし、悟りと迷いの間に生きることこそ人間の真の姿だと考える。「二間性」の相即とは、外側から眺められた予定調和などではない。自己の中で起こる矛盾や対立がそのまま相補性に繋がっていることを自覚した時に現れる、論理的帰結なのである。

尊徳が「二間性」の自覚を核とした思想を構築したことを踏まえると、彼の中で土着思想である神道と普遍思想である仏教および儒教が、「神仏儒」の形で融合しているように見えた理由もわかってくる。「神仏儒」は、正確には融合というよりも相即の関係によって結ばれていたのだ。それは何となく習合していたというような無自覚なあり方とは違う。矛盾や対立を十分に理解した上で、それでも共存させようとする強い意志のもとで選び取られたものだったのである。

神道の内部において「神々」が共存するように、神道と仏教と儒教という「神々」も「福祉の哲学」の中で共存し得る。我々は「神々」が相即する「あいだ」に生きることで、利己と利他の「あいだ」に生きることができる。本当の福祉とは、「あいだ」の自覚によってのみ支えることができるのだ。

II　文化を探る、味わう

タイムカプセル――基本的には将来の発見を前提としているが……
（第８章　権利とアーケオロジー）

第7章　空気とエコロジー

先生は「文化論は好きではない」と言った

極めて個人的な思い出話を一つさせてもらいたい。あれはまだ学部生だった頃のことである。通っていた大学のすぐそばで、ある著名な行政学の教授を見かけたので声をかけたことがあった。その前年にゼミでお世話になっていたとは言え、先生がこちらのことを覚えているか不安ではあったが勇気を出してご挨拶してみると、「ああ、君か、元気にしているかね」と気さくに応えてくださった。一年ぶりくらいで何を大げさに、と思うかも知れないが、学会の重鎮であり政府関連の仕事も多数こなされていた大学者だったので、そんなえらい先生に名前は無理としても顔を覚えてもらっていたということが当時の自分には思いのほか嬉しかった。要するにミーハーだったのである。

それで気を良くして、最近は日本の思想や日本人の精神性に関心があること、それで大学院に進学して研究してみようかと考えていることなどを求められぬまま一方的に話していると、先生はボソッと、しかし明らかに否定的な、揶揄のこもった口調でこう言ったのだった。

「そうですか、でもね、私はそういった文化論は好きではない」

その言葉に驚いて呆然としているこちらをよそに、先生はタクシーを止めて乗り込み、あっという間に去って行った。その先生とはそれ以来お会いしていないし、こちらのことなどすっかり忘れてしまっただろうが、あの時先生が発した「文化論は好きではない」という言葉は、今もずっと心に深く突き刺さったまま残り続けている。

先生が何故そのようなことを言ったのか、「文化論」の何が気に入らないのか、当時の自分はよくわからないままひたすらショックだけ受けていたのだが、少し知恵をつけた今となってはわかるような気がする。先生が批判的だった「文化論」とは、社会集団というものはそれぞれ変化することのない本質のような文化的傾向を持っており、その集団にまつわる現象や事件は原則としてその傾向によって説明できるという、いわゆる「文化決定論」のことだったのではないだろうか。日本人はこうだからとかイスラム教徒はこうだからという、根拠薄弱で乱暴な決めつけ。しかしそれでいて一般的には非常に人気のある思考方法。

我々も胸に手を当てて考えてみれば、日常的にこうした「文化決定論」的思考を採用することがあるだろう。日本人もいろいろ、イスラム教徒も人それぞれ、一概にこうとは言えない、そんなことは重々承知のはずなのに、円滑な理解や議論のために四捨五入され平均化された集団の心性を想定しているうちに、その想定が実体化されていく。そしていつのまにかその実体化された傾向は時空を超えて不変の本質に見えてくる。こうして、日本は昔からずっとこうだった、イスラム教徒はこれからも永遠にこう考えるといった風に、現実の複雑さと可変性を無視するようになってしまう。

おそらく先生は、こうした「文化決定論」的思考という、あまりにも粗雑であるにもかかわらず感染力の強い厄介な考え方に対して強い警戒心を抱いていたのだと思われる。そしてそれは、行政学の泰斗であり、ひいては社会科学の学徒としてやってきた彼からすれば、学的誠実さにも繋がる譲れない信条だろう。先生は、いわゆる「文化」に理解がない無粋な人間などでは決してなかった。ただ、先生は諸社会の比較分析と実証研究を通じてそれらを貫く一般法則を導き出すことこそが科学的態度であり、「文化決定論」は非科学的で不誠実な知的態度だと見なしていた。そんな先生の目には、十分な知的（科学的）訓練を経ているようには見えない未熟な学生が日本文化論に手を出すことは、日本文化を無批判に特別視し、いい意味にせよ悪い意味にせよ「日本スゴイ」をまき散らす結果にしかならないように映ったのだ、きっと。

「近代」というイデオロギー

しかし、もしこうした解釈が正しいとすると、先生の学的誠実さを支える社会科学者としての自負もまた、必ずしもそのまま肯定することはできない。何故なら、人間の社会というものを自然科学と同じように実証科学的なアプローチで研究して、一般法則のようなものを導くことができるかどうか、それ自体が大きな思想問題だからだ。「文化決定論」的思考が文化を固定的なものとして捉えているのならば、「実証科学」的思考は科学を固定的なものとして捉えている。ただし、前者が過去に大きく依拠して「昔からこうだった」と決めつけるのに対し、後者は現在から未来を特権視して「これからもこの方向に進む」と決めつけるのだ。

社会科学者の中には、価値中立的な態度から、「社会を科学できるか」という問いそのものを自らの手に余るものとして敬して遠ざけるか、それとも一種の「擬似問題」として問題化することを避ける者もいるだろう。だが、それこそ不誠実な知的態度だと言わざるを得ない。社会科学というプロジェクト自体を批判の俎上に載せ、その限界を見極める方がよほど誠実なあり方のように思われる。埃をかぶった古臭い言い方を許してもらえば、社会科学の持つイデオロギー性を暴露する必要があるはずだ。では、そのイデオロギーとは何か。ここで事態は本格的にややこしくなってくる。社会科学、および実証科学を後ろで支えているイデオロギーとは、近代合理主義や近代的個人主義、つまり近代社会が育んできた価値が普遍的だという考え方だからだ。

その具体的な内実や正確な起源はともかく、ある時期の西欧社会を震源として世界史における大きな地殻変動が始まり、そこから現在の我々までは基本的には地続きな「近代」という時代区分を設定できるという、歴史観ないし世界観を否定できる人はそうはいない。近代を画期として世界は不可逆的な変化を迎え、ありとあらゆる社会の伝統と慣習が、近代的な思考によって相対化されてきたことを我々は知っている。だからこそ、社会をより良く理解しようとする際には、土着的な考え方をそのまま鵜呑みにするのではなく合理的推論と科学的分析を駆使することを選んできたし、社会生活を営んでいく上においては、伝統的な諸価値よりも個人の自由な選択を尊重する方が公正だと考えるようになってきたのだった。

もちろん、こうした近代的価値の普遍性を疑う試みは古今東西枚挙にいとまがない。ポストモダン、ハイパーモダン、脱近代、近代の超克。だが、様々な看板を掲げてこうした思想運動が起こったところで我々の近代が終わるように思えないのは、近代を疑う試みも根本的には普遍的な近代的価値がアップデートされて、より普遍的になっていくことを前提とした進歩主義の産物だからだ。社会科学の

背後にあるイデオロギー性を暴こうとしても、我々自身がそのイデオロギーに依拠している以上、そ

れは真の意味での批判にはなり得ない。近代をことさら特権視することもなく、かつ「文化決定論」

的思考に陥ることもない、近代性と土着の文化を、進歩と多様性を、普遍と特殊を同時に対象化して、

その相互作用を動態的に捉える方法はないのだろうか。

「空気」を広めた山本七平

山本七平が一九七七年（昭和五二年）に発表した『「空気」の研究』は、山本が謎のユダヤ人「イザヤ・ベンダサン」名で出したことで知られる事実上の処女作『日本人とユダヤ人』や、自身の従軍経験を描いた作品群と並んで、今も多くの読者を惹きつけてやまない名著である。そして、この本の成功以降、出版界で日本人論ブームが起こったと言われている。確かに現在でも書店には日本人論に関する著作は溢れ、「日本はすごい」「日本は特別」「日本は変」「日本は異常」と、ありとあらゆるタイプの日本特殊論を我々は楽しむことができる。出版物だけではない。近年ではネットやテレビでもこうした「日本スゴイ」系のコンテンツが人気を集め、視聴者も制作側も、まるで自分たちの前途の暗さから必死に目をそらすために、無理やりドーピングをして自尊心を保っているかのような状況を呈している。

しかも、『「空気」の研究』は、「いまの空気では」「当時の空気を知らないくせに」といったような「空気」の用語法に注目した、先駆的な作品として知られている。そして、現代を生きる我々は当たり前のように「空気を読む」「空気が読めない」という形でこの「空気」を常識のものとして受け入れている。山本はこうした「空気」を研究した第一人者とも言えるし、「空気」をますます広めてしまった張本人とも言えるかも知れない。

日本人は「空気」に支配されるという特殊な文化を持っているというイメージ。

「空気」の支配の過剰化

これは先述した行政学の教授からしてみれば、悪しき「文化論」の典型であり、それをありがたがる大衆は「文化決定論」的思考に囚われているということになるだろう。そして実際、多くの日本人論はこうした「文化決定論」を粗製濫造したものばかりである。しかし、山本の『「空気」の研究』がそんな凡百の日本人論と決定的に異なっているのは、日本人と「空気」の関係を固定的なものとは考えておらず、日本社会が大きく変質した結果「空気」が重大な問題として浮上したと考えていることに象徴されている。山本は、少なくとも江戸期や明治初期の日本人の中には「空気」に支配されることを恥とする考え方があったことを指摘している。それが昭和に入って「空気」の拘束力が強まっていったのは何故か。これが山本の問いなのだった。

『「空気」の研究』は、「文化決定論」的な意味での「文化論」でもなければ、日本における近代化の不徹底をあげつらう本でもない。山本は日本の文化的性格のことを、時間とともに変わってきた相対的なものだと見なす。そして、日本文化という可変的な「生態系」が、近代化という強力な「外来種」によってどのような影響を受け、結果として「空気」の支配の過剰化という適応障害を起こすことになったかを、冷静に分析しようとしているのである。

山本は自分自身が近代日本社会という生態系の住人でありながら、まるで外部からやって来たフィールドワーカーのようにも振る舞う。彼は日本に対しても、近代に対しても一方的に肩入れしたりせず、しかしどちらの問題も当事者として引き受ける責任を感じている。しかし、山本はどうやってこのような複眼的かつ総合的な視点を持ち得たのだろうか。

山本七平の「空気」と「水」

山本七平の『「空気」の研究』は、後の日本人論、日本文化論ブームの先駆的存在として今でもよく読まれ、参照される名著である。しかし、実際に手に取って読んでみると、意外なほどと言っては失礼だがその議論は複雑に入り組んでいて、いわゆる「日本人とは元来こういうものだ」という決定論的な性格は非常に弱い。「空気」「水」「臨在感的把握」など、魅惑的なキーワードが随所に散りばめられており、発表されてから四〇年がたった今でもそれらを用いることで快刀乱麻に日本社会を斬ることができそうな印象を受けるにもかかわらず、ではそこからどんな結論が導き出せるのかと言えばそれは決して明らかではない。これは『「空気」の研究』が時事評論の一種であり、精緻な文献解釈を経た思想・哲学研究でも、科学的データに裏付けられた実証研究でもないから、というような問題ではないように思われる。そもそも、「空気」や「水」が本当にあるのかないのかを真面目に検証しようとしても仕方ない。これらはあくまで山本が日本人の心性を理解する上で導入した概念枠組なのである。しかし、では「空気」や「水」は本当にないのかと言われれば、少なくとも山本の目にはあるのだ。

山本は「空気」というものは実は日本特有のものなどではなく、世界のどこにでもあるという。それは、ユダヤ・キリスト教文化圏では、ルーア（ヘブライ語）、プネウマ（ギリシャ語）、またはアニマ（ラテン語）に相当するものであり、日本では「霊」と訳されているというのだ。彼は旧新約聖書を代表とする古代の文献にこうした「霊」が登場することに触れて、こう述べる。

人が、宗教的狂乱状態いわばエクスタシーに陥る、またはブームによって集団的な異常状態を現

> 出するのは、この空気（プネウマ）の沸騰状態によるとされている。こういう記事の文脈のプネウマにその原意通りの空気を〝空気〟の意味であてはめて行くと、それはもはや古代の記述とは思えぬほどの現実味をおびてくる。彼らも、この非常に奇妙な「空気の支配」なるものが、現に存在する事を知っていた。（中略）プネウマの出てくる記述を読んでいくと、「なるほど、こういうことを書くのが本当のリアリストなのだな」と思う。彼らは霊（プネウマ）といった奇妙なものが自分たちを拘束して、一切の自由を奪い、そのため判断の自由も言論の自由も行動の自由も失って、何かに呪縛されたようになり、時には自分たちを破滅させる決定をも行わせてしまうという奇妙な事実を、そのまま事実と認め、「霊（プネウマ）の支配」というものがあるという前提に立って、これをいかに考えるべきか、またいかに対処すべきかを考えているのである。

印象的なのは、「霊＝空気」に人間がたやすく支配されるという事実を認める、古代の一神教徒たちのことを山本が「リアリスト」と呼んでいることだ。それがいかに奇妙なことだとしても、人々は「空気」に左右されてきたという事実を受け入れる彼らの態度こそが、真に問題解決的な思考の産物だと感心している。そして、こうした「リアリスト」たちとは対照的に、「空気」を非存在と嘲笑し、「霊の支配」を非現実的で非科学的と見なして否定してきた明治以降の啓蒙主義者たちを山本は手厳しく非難する。こうした人々が「空気」の問題をないことにして相手にしなかったことで、逆に「空気」が傍若無人に猛威を振るう状況に歯止めがかからなくなったからだ。明治から戦前にかけて「文明開化」がいつのまにか「現人神」まで暴走していったプロセスも、それが終戦とともにあっさりと

「民主主義」に宗旨替えしたことも、そして今もその場その場の「空気」に我々が翻弄されることも、「空気」を見くびったツケだということなのだ。

「空気の支配」のリアリズム

「空気の支配」の典型例として、いじめの問題を考えてみよう。多くの場合、学校や職場などで発生するいじめは偶発的なきっかけで始まり、きっかけとなった加害者と被害者は存在したとしても彼らだけが当事者となるのではなく、黙殺や容認などの形で周囲の人間も関与していく。そしていったんいじめの「空気」が醸成されると、被害者に何の非もないことが明らかであっても、または最初に加害者になったメンバーが被害者に対していじめの態度をとらなくなっても、「空気」は維持される。そうなると、もはやどうしていじめが存在するかもよくわからないままいじめは続き、ひどい場合は更にエスカレートしてしまう。

我々はこうしたいじめの話を見聞きするたび、分別ある大人や良心ある子供たちが何故「空気」に囚われてしまうのか理解に苦しみ、そして憤る。しかしそれは、「空気」などという本来存在するはずのないものに囚われるのは未開で野蛮な人間だけだと決めてかかる、啓蒙主義者と同じ過ちを犯している。現実にいじめは起こっているのであり、その「空気」に呑まれてしまった人々は、「あの時の空気ではなかなか言い出せなかった」「空気が読めないと今度は自分がいじめられると思った」「そもそもの話、空気が読めなかった被害者にも非はある」と言い出すようになるのである。

ここには皮肉な逆説がある。「空気」を否定しようとした者ほど「空気」に呑まれ、「空気」を実体化してその軍門にくだってしまうのだ。山本はだからこそ、古代の一神教信者たちを「リアリスト」と呼びその知恵を探ろうとする。しかし、それでは日本人はずっとこんな風に「空気」に呑まれ続けてきたのか。山本がそこで持ち出すのが「水」である。日本では昔から、「空気」が過熱した時の対処法として「水を差す」、つまりある種の通常性の言説を差し挟むことで「空気」を雲散霧消させてしまう知恵があった。例えば、仲間同士で事業を起こす夢を語り合い、それがどんどん盛り上がってきたところで誰かが「先立つものがない」と言った途端、それまでの「空気」はなくなってしまう。この「先立つものがない」という単なる情況説明に過ぎない言葉、これが我々を通常性、日常性へと立ち戻らせる「水」である。「空気」に対する「水」、これが日本人なりのリアリズムだったのである。

情況に流される日本的啓蒙主義

しかしそんな「水」があるならば、我々はここまで「空気」に支配されずに済んだのではないか。山本はこれについて、日本における通常性が「あの情況ではあの判断が正しいが、この情況ではこの判断が正しい」というような、一種の情況倫理であることに原因があると指摘している。情況倫理は物事に対する柔軟な判断を許す一方で、我々が自身の発言や行為について一貫した論理や責任を持つために必要な固定的な規範にはなり得ない。そのため、「空気」に差された「水」という通常性は、今度は次の「空気」を生み出す。「空気」と「水」は結局は同じものの両面なのだ。

これが閉鎖性の高い集団内で、これと言って切迫した危機にも見舞われず、長期的に問題を解決すれば良かった近代以前の日本社会ならばそれほど問題はなかっただろう。山本は、「水」の通常性は江戸時代までの日本的儒教に対しては有効だったが、明治以降の擬似西洋的な、啓蒙主義的論理に対しては無力だったという。日本社会という生態系は、「空気」と「水」があまり大きな成分変化を伴わずに循環している間は安定した状態にあった。もちろん個人の自由や権利はろくに守られなかった

（そもそんな考え方自体がほとんどなかった）だろうし、「空気」の支配が一切なかったわけではない。それでも、「空気」は「水」を差されながらゆっくりグルグルと流転し、生態系全体を破壊することはなかった。

しかし、黒船という「外来種」が全く異質な「水」を日本に持ち込んだことで、日本の「空気」は急変してしまった。西洋近代的な思考は、それまでの日本の「空気」を変えたという意味ではひとまずは「水」の役割を果たした。そして多くの場合、明治維新以降の日本の近代化は奇跡的な成功としてポジティブに捉えられてきた。しかし、この強力な酵素を含んだ「水」は今度は「空気」へと変質する。それも、これまでの日本の「水」、つまり通常性に混入する形で。日本の通常性とは情況倫理であり、固定された規範を持たないと先ほど書いた。こうした通常性の中で、日本における擬似西洋的な論理は一貫性を失い情況に依存するようになる。そこでは自然科学も合理主義も憲法も民主主義も「和魂洋才」とばかりに換骨奪胎され、情況に流されるようになる。更に、これらは新しい時代の「空気」を形成しているため、空文化していても誰もそのことに新しい「水」が差せなくなってしまうのだ。

いまだ答えのない日本の宿命

そう考えると、日本の「空気」や「水」の成分である情況倫理の通常性は、近代の日本において無力になったどころか、より過剰な効果を持つようになったのだとも言える。これは、西洋近代という毒性に満ちた「外来種」が美しい日本の生態系を破壊した、というような一方的な話などではなく、「外来種」の持ち込んだ変化と生態系の持つ性質の奇妙な相乗効果が、その生態系に住む我々全体を一気に危機に晒してしまったということなのだ。我々は近代批判と日本批判を同時並行して行いながら、その二つがマリアージュして生まれた自分たちの宿命を引き受けつつ、その生態系の回復を目指さなければならない。これは視野の狭い愛国者気取りの愚か者はもちろん、近代科学を徹底すれば問題解決が図れると勘違いした啓蒙主義者の末裔にも実行不可能なミッションなのである。

しかし、このように複雑極まりない難題について必死に格闘しようとしたのが熱心なプロテスタントだった山本だという事実は非常に興味深い。彼は神なき時代である近代に対しても、一神教の神を持たない社会である日本に対しても、一定の距離を持って対象化する視点を持ち得た。情況倫理ではなく、固定倫理を持つことの重要性を説いたのは信仰者として当然のことだったのだろう。だがそれと同時に、彼は自分が近代という時代の日本という社会に生まれたという事実に対して、ストイックなまでの当事者意識と責任感を抱いていた。「空気」に呑まれず「水」を差し続けながら、生態系の中で共生を図るための、確固たる生き方とは何か。それを支えるための論理と倫理とはいかなるものか。近代日本の宿命は、まだその答えを待っているのだと言える。

第8章　権利とアーケオロジー

不本意なタイムカプセル

突然だが、子供の頃にタイムカプセルを埋めたことはあるだろうか。学校の授業や行事で、先生や友達と一緒に埋めたという人も多いのではないだろうか。ブリキか何かでできた容器の中に、大事にしている（とは言ってもそこまで大事すぎない）物や、未来の自分たちに宛てた（とは言ってもそこまで真剣な内容ではない）手紙などを入れ、何年も経ってから掘り返すことを楽しみにしながら（とは言っても埋めたことをつい忘れがちになる）校庭の隅に埋める。せわしなく転変し続ける地上の世界とはまるで無縁かのように時を超え、あの頃の自分たちにとっての未来に届くこととなるタイムカプセルの存在は、とてもロマンティックで心惹かれるものがある。

また、タンスや押入れ、物置の奥から思いもよらない物が出てきて、まるでタイムカプセルのような機能を果たすこともある。誰も着ることのなくなった小さな服や、撮ったことすら忘れていた懐かしい写真、最初は意気込んで丁寧に書いていたのに後半は白紙のままで放置されているノートなどが、軽い驚きと共に発見されたのをきっかけにして家族の間で思い出話に花が咲いた、なんてことも決して珍しいことではないだろう。これがささやかながらも嬉しいサプライズだったのであれば問題はないが、ある人にとっては見られては困る「動かぬ証拠」だった場合、関係者を巻き込んでの騒動に発展、なんてこともあるかも知れない。

このような擬似タイムカプセルは確かに、本家タイムカプセルとは異なり意図的に仕掛けられたものではないが、かと言って絶対に見つからないように隠されたという訳ではない。いわくつきの品でさえも、捨てられていたのではないのだからいつかは出てくることが予想できたはずである。その意味では、これらが再び誰かの目に触れる結果となったのは、どちらかと言えば本望だと言うこともできる。タイムカプセルというものは基本的に、将来の発見を前提としており、けなげにその時を待っているのだ。

しかし、発見されることなど望まれていなかったにもかかわらず、埋めた人々の意志には一切関わりなく、後世の人間によって勝手に掘り起こされてしまう、いわば不本意なタイムカプセルがこの世には存在する。遺跡である。昔の人々の建造物や住居跡、そしてそこに残された様々な遺物は、そもそも地中に埋めておこうと誰かが思ったような類のものではない。埋めたのではなくただ埋まっただけである。発掘してくれと頼まれた訳でもないのに、我々は彼らの遺した物を一生懸命探し出しては貴重なタイムカプセルとして享受しているのだ。いや、説明はむしろ逆であり、タイムカプセルとは実は、我々の人生のスパンに収まるよう程よくコントロールされた、インスタント遺跡ごっこのことだったのだ。

墓の発掘も人類の使命か

遺跡は、我々の祖先がどのような生活を営み、どのような社会を形成し、どのような文化を生み出したのか、そしてそれが現代の我々にどのような影響を与えているのかを知るための大きな手がかりであり、考古学的な発掘調査がなければ知り得ないことはあまりに多すぎる。文字史料がない時代や地域の事柄に関しては遺跡発掘以外に当時を知る方法はないし、たとえ記録が存在する場合でも、史料は何者かによって書かれたものである以上多かれ少なかれ恣意的であり、遺跡や遺物による裏付けを待たなければそのまま鵜呑みにはできない内容を含んでいる。文書とは異なり、遺すつもりで遺されたのではないからこそ、遺跡は人々のありのままの姿を伝えてくれるのだ。

遺跡の当事者、または元々の所有者と呼べそうな人々は、当然ながらはるか昔に滅んでしまっていてこの世にはいない。だから、遺跡は現代における所有権に抵触しない範囲において、今を生きる我々が自由に取り扱っても構わない、そう考えることは確かに不可能ではないかも知れない。過去を生きた人々の多くは遺跡の発掘を望んでいなかっただろうが、発掘して欲しくないとも思っていなかっただろう。当たり前である。遺跡とはほとんどの場合、意図せざる結果として遺されたのだから。自分たちが住んでいた場所や使っていた道具が発掘の対象になるとは夢にも思わなかったはずである。それならば、たまたま遺されたものを掘り起こし、我々の知の向上に活かし、人類の共同遺産として引き継ぎ管理して何が悪いのか。いや、悪いどころか、その発掘は我々後世の人間の使命とすら言えるのではないか。

以上のことからもわかるように、考古学はその背後に「我々は人類の一員なのだ」という壮大な自己認識を隠し持ち、人類史を俯瞰するという途方もない視点から個々の遺跡に接することを要求している。自分たちは古代ギリシャ人ではなくてもパルテノン神殿を自由に調査してもいいし、縄文人ではなくても大森貝塚に遺された土器や骨を持ち帰っても良い。何故ならそこにあるのは究極的には人類全体のものであり、我々は過去の人類からの贈り物を蘇らせ、そして未来の人類へと確実に受け渡すという、現代の人類代表としての崇高な使命を負っているからだ。だが、本当にそうなのだろうか。

遺跡になったのは確かに意図せざる結果かも知れないが、それを作った人々は少なくとも発掘されるのを望んでいなかったと容易に想像できる例は、少し考えてみただけですぐに思い当たる。そう、墓だ。ピラミッドや古墳を代表とする墓は、将来見ず知らずの人間たちによって掘り返され、内部を晒され、遺体や副葬品を持ち出されることを目的に作られてはいない。むしろ、絶対にそんなことはされたくないという想いのもとで作られたと考えた方が自然だろう。自分自身や親愛なる者たちの墓を、遠い未来になって人類の共同遺産だとか何とか勝手な理屈をつけて暴かれることになると知って、喜ぶ人間などいるだろうか。何百年、何千年の後のことなんてもうどうでもいいと、呆れとあきらめ混じりに思うことはあるかも知れないが。

遺跡としての墓には間違いなく史料的価値があり、その発掘調査が我々に与えてくれる知的恩恵は計り知れないものがある。墓の発掘なしに考古学研究の進展などあるはずもない。そして考古学の素晴らしい成果なしに人類史の解明もまた進むはずはない。しかし、たとえ我々が我々の過去を知るために発掘が不可欠だとしても、墓に埋葬されている者や墓を作った者たちからすればそれは墓荒らしや盗掘と大差はない。本人やその代弁者が誰もいないから好き放題やっているだけだ。しかも金銭目的や怨恨のためならまだわかるが、人類の使命という美名のもとに堂々と、誇らしげに他人の墓を掘り返すのは、ある意味もっと野蛮で恥知らずな行為だと言われても仕方ないのではないだろうか。

考古学の罪と二つの権利

と、ここまでかなり暴論めいたことを書いてしまったが、別に考古学や考古学者を不当に貶めようというつもりはないのはご理解いただきたい。考古学は非常に魅力的で重要な学問であり、それに携わる考古学者たちの熱意と献身に対して、我々は感謝こそすれ非難などできるはずもない。ただ、考古学を研究する以上、墓を含めた過去の他者の遺物を発掘することは不可避なのであり、考古学を必要とする現代の我々はどこまでいっても一種の共犯者なのである。もし本当に「ファラオの呪い」などというものがあるのだとすれば、それは考古学者や発掘隊だけでなく我々全員に降りかかるべきだろう。

考古学が根源的に抱える、発掘が死者の冒瀆にあたるのではないかという不安は、門外漢がこんなところで偉そうに指摘するまでもなく、これまで多くの考古学者たちが強く意識してきた問題だったようである。例を挙げると、「日本考古学の父」の異名で知られる濱田耕作は、本邦初の考古学的方法論の概説書である主著『通論考古学』の中で、考古学者の出版義務について論じつつ次のように述べている。

考古学的遺跡の発掘は、それ自身は一個の破壊なり。これを記録の方法によりて永遠に保存し、出版によりて記録を学界に提供するにおいて、はじめて破壊の罪障を消滅せらる。ゆえに発掘ありて記録なく、記録ありてこれが刊行を怠るは、畢竟公的資料を破壊し、これを死蔵するものというべく、過去の人類に対して、その空間的存在として残されたる生命を絶つの罪悪を行うものというべし。もし発掘の報告を出版せざるくらいならば、これをなし得べき時期まで、遺物の最好保存者たる土砂中に放置して発掘せざるにしかず。ゆえに発掘の報告出版は、発掘事業の一部分にして、決して分離すべきにあらず、その費用と時間とは始めより見積もり置かざるべからず。これ実に考古学者の道徳的義務として、厳粛に服従せざるべからざるところなりとす。

元々は美術史の研究を志していた濱田らしく、彼が罪悪感を覚える対象はどちらかと言えば過去の人々というよりも文化財としての遺跡そのもののような印象を強く受ける。それに彼は墓の発掘だけを問題にしている訳ではない。とは言え、発掘はそれ自体では破壊に他ならないと断言する姿勢には、考古学調査がある種の後ろめたさを伴う活動なのだという自戒の念がにじんでいる。

こうした濱田の考え方は、彼の師にして近代考古学を確立した功労者の一人でもあるイギリス人エジプト学者、フリンダース・ピートリーから直接受け継いだものだった。実際、濱田が『通論考古学』の参考文献として真っ先に名前を挙げているのが、このピートリーの書いた『考古学の研究法とその目的』という著書なのだが、その最終章のタイトルは「考古学の道徳」とあり、先ほどの濱田の文章はここでのピートリーの主張にその多くを負っている。興味深いのは、ピートリーはこの章で未来の人類が有する権利（rights of the future）と、過去の人類が有する権利（rights of the past）という、二つの権利について議論を展開していることである。それはどのようなものなのだろうか。そして、もしそのような二つの権利があるのだとすれば、現在の人類である我々もまた、考古学的遺跡に対する固有の権利を持っているということなのだろうか。

遺跡発掘調査の「野蛮」さ

遠い過去に存在したであろう、見知らぬ他者の遺跡のことを、一方的に人類の共同遺産と呼び、人類史の解明という大仰な使命の名のもとに掘り起こし、まだ見ぬ未来の人類のためだと言いながらそれらを保存および管理しようとする。考古学による遺跡の発掘調査というものは、こうした「野蛮」さを抱えており、そこにはある種の後ろめたさが伴うことは前に述べた。ただ、このような問題は、近代考古学が確立して久しい現在、わざわざ蒸し返さなくても、いや、掘り返さなくてもいいことのようにも思える。

そもそも、一般の人々の考古学に対するイメージは必ずしも肯定的なものばかりではない。「悠久のロマン」「時空を超える冒険の旅」と憧れの眼差しで応援してくれる人もいる一方で、「何の腹の足しにもならない」「金ばかりかかって仕方がない」と、冷ややかな視線を向けられることも多いはずである。そんな中で、考古学者たちは大げさに言えば我々人類全体の利益のために、今日もどこかで遺跡を発掘しているのだ。そんな恩人たちの事業を侮辱するような真似は慎むべきだ。何が「野蛮」だ。むしろ「文明」の発展に貢献しているではないか。

それは確かにその通りである。しかし、「文明」の発展のためならば、知らない人の墓を勝手に暴いてもいいのだろうか。死人に口無しとばかりに、好き放題埋葬品を持ち出してもいいものだろうか。こうした疑問について、はたして考古学者自身はどう答えてきたのだろうか。

「日本考古学の父」と呼ばれる濱田耕作は、その師であるフリンダース・ピートリー（濱田の表記ではペトリー）の言葉を引用しながら、考古学者がどのような道徳的義務を負っているのかについて次のように説明している。

ペトリー氏はその研究法の著中、特に「考古学の道徳」（Ethics of Archaeology）としてこれを痛論するところあり。中にいわく「知識を得るに必要なる破壊は、もしそれによりて充分なる知識が獲得せられ、かつこの知識が再び失わるることなきよう安全に記録せられて、はじめて破壊の正当なりしを認めらるべし」と。「また未来の人類は吾人が過去の遺物を有するがごとくこれを有するの権利（rights of the future）あり。ゆえに吾人は墳墓・寺院その他の遺跡が、将来長く保存せらるる状態にあるものを破壊するは罪悪なり。また同時に過去もまた権利を有す（rights of the past）。過去人類が年月を費やして残したる事業は、存在の権利を有す。過去人類の生命の今日に存するものは、現在の人類のそれと同じく権利を有す。実に考古学者の事業はこれら過去の生命を救いこれを復活して、吾人の友人のごとく親密ならしめんとするにあり」云々といえるは、吾人に対する痛切なる教訓なるを覚ゆ。

これを読むと、濱田が『通論考古学』の中で「考古学的遺跡の発掘は、それ自身は一個の破壊なり」と書いていたのは、ピートリーの影響が大きかった、というかほとんどピートリーの主張そのままだったということがわかる。しかし逆に言えば、発掘自体は破壊に他ならないという師ピートリーの主張を、濱田がどれだけ重要視し厳粛に受け止めたのかが伝わってくる。友達と一緒に埋めたタイムカプセルを自分たちで掘り起こして、無邪気に喜んでいるのとはわけが違うのだ。

「未来の権利」と「過去の権利」

そして、発掘が破壊であるという厳しい自覚と並んで、未来の人類と過去の人類、そのそれぞれが持っている権利を尊重することも重要だとピートリーは述べている。まず、未来の人類は我々が保有している過去の遺物を我々と同様に保有する権利があるという。これは考古学の意義について考える際、かなりお馴染みの議論だと言えそうだ。文化財の保護や文化遺産の保全は、現在の我々にとってももちろん大切だが、むしろこれからの世代に貴重な遺物を継承していくために不可欠な活動である。だからこそ、遺跡を我々の身勝手な行動によって破損し、その姿が永久に失われてしまう事態は何としても避けなければならない。未来の人類が享受して当然の権利、ピートリーの言うところの"rights of the future"を、我々はみだりに侵害してはならないのだ。

こうした「未来の権利」についての議論は比較的わかりやすく、また受け入れやすいものであろう。何故なら、ここで想定されている未来の人類とは我々自身の子孫のことであり、彼らがいつか自分たちの遺産を相続するのは自然なことのように思えるからだ。その意味で「未来の権利」は、現在の我々が自明視している権利、「現在の権利」と完全に地続きだと言える。「現在の権利」が認められるならば「未来の権利」も認められて然るべきだ、そう考えることにそれほど異論はなさそうだ。ただし、これはあくまで「現在の権利」が認められるならば、の話である。知らない人の墓を暴いたり、埋葬品を持ち出したりすることは、本当に「現在の権利」と呼べるのか。

それより問題となってくるのは、もう一つの権利である。ピートリーは"rights of the past"、つまり「過去の権利」というものもまた認められるという。遺跡とは、過去を生きた人々が作り出したものが長い年月による試練に耐え、何とか朽ち果てることなく現在まで残ってきたものである。なかには地中深くに埋もれてその存在が忘れ去られることでかえって原型を留めることとなったものもあれば、作られた時代より後の人々に受け継がれ大切に守られてきたものもあるだろう。そのプロセスはどうであれ、諸行無常のこの世の中で、現代に至るまで滅びの運命を避けることに成功した遺跡には、過去の人類の生きた証が刻み込まれている。その肉体は滅んでも、その生命は遺跡という形でちゃんと残っている。だから、現代の我々の生命が尊重されるのと同じように、過去の人類の生命である遺跡もまた尊重されるべきであり、存在する権利がある。

さらに、もし遺跡が過去の人類の生命なのだとすれば、我々はそれらを野ざらしのまま放置しているわけにはいかない。確かにここまでは生き延びてきたかも知れないが、これからも遺跡が朽ち果てずにいられる保証はどこにもない。我々はむしろ積極的に遺跡を発掘してそれを保全し、必要ならば補修や回復を施すことで、「過去の権利」を守る道徳的義務があるのだ。ピートリーはこれこそが考古学が果たすべき役割だと言っているようである。

「過去の権利」と欲望の正当化

遺跡を過去の人類の生命と呼び、「吾人の友人のごとく親密ならしめんとする」ことを目標に掲げる、考古学者ピートリーの信念には感動を覚えるし、濱田がこうした師の姿勢から「痛切なる教訓」を受け取ったというのも何ら不思議なことではない。そこには過去の人類が遺したものに対する純粋な敬意と愛着、そしてそれらを守りたいという情熱が溢れている。

だが、たとえそうだとしても、ここで出てきた「過去の権利」という考え方には疑問を抱かずにはいられない。先述した通り、「未来の権利」は明らかに未来の人類が有する権利のことを指していた。確かにまだこの世にはいないが、これから生まれてくるであろう我々の子孫の権利として説明されていた。その一方で、「過去の権利」は、よく注意してみると、厳密には過去の人類の権利なのではなくて、過去の人類が残した事業、つまり遺跡の権利だと言っている。そして、遺跡が権利を持つという奇妙な論理を成立させるために、ピートリーは遺跡のことを過去の人類の生命と呼ぼうとする。我々が普通は長生きすることを望むのと同じように、過去の人類の生命はこれからも生き永らえることを望んでいる。遺跡はそうした願望を抱くのにふさわしい、権利の主体だと言うのだ。

これは、現在を生きる我々が考古学的発掘を行うための、都合のいい解釈だと批判されても仕方ない理屈ではないだろうか。確かに遺跡の持ち主であった過去の人類は、自分たちの生きた証を残そうとしたのかも知れない。墳墓や寺院を建設したのはそのためかも知れない。だからと言って、遺跡を自分たちの生命、自分たちの分身だと認定され、勝手にその存続を願っていることにされ、挙句の果てに、どこの馬の骨ともつかぬ者たちにまるで善意の後見人かのような顔をされて、遺跡をいじくり回されることを望んでいたとは考えにくい。控えめに言っても、彼らの意志を我々が推測することは困難である。そんなことはわからないのである。

物言わぬ遺跡を「過去の権利」の主体として立てるのは何故か。それは我々が遺跡を魅惑のタイムカプセルとして掘り起こしてみたいからに他ならない。つまり、我々は遺跡を発掘してその秘密を明かしたいという、自らの欲望を正当化したいだけなのだ。人類史の解明という美名も、過去の人類の生命を守るという使命も、未来の人類への継承という責任も、全ては我々が何もかも知りたい、知ることを通じて何もかも支配したいという、飽くなき欲望の裏返しでしかない。本当はそこに権利などというものはない。「未来の権利」も「過去の権利」も、そしてもちろん「現在の権利」もない。あるのは、過去の人類が残した遺跡が現在の我々によって発掘され、そしてそれらが未来の人類に残されたり残されなかったりするという、単純な事実だけである。

考古学はその意味で、どこまでも知り尽くしたいという近代人の病を象徴しているのであって、考古学だけに罪を被せることはできない。そもそも、残されたもの（left）に対して権利（right）があるかどうかを議論すること自体、出来の悪い冗談みたいな話なのかも知れない。だから、遺跡に対して我々がどんな権利を持っているかなんてどうでもいい、遺跡が目の前にあるのだから発掘して何が悪い、「文明」の発展に貢献しているのだからそれでいいじゃないかと開き直る人がいても別におかしいとは思わない。

しかし、そんなことを言えば嘘や暴力はどうなるだろうか。それらは行使する権利があるかどうかにかかわらず我々の手元にあり、いつも我々の欲望のままに行使されるのを待っている。そして皮肉なことに、それらもまた考古学的遺跡の発掘と同様、「文明」の発展にしっかりと貢献してきたという確固たる事実がある。嘘や暴力を抜きに「文明」があり得なかったのだから、その権利について云々するのは無駄だろうか。権利を振り回す者も野蛮だが、権利について悩もうとしない者はもっと野蛮なのだ。

第9章　情報とテクノロジー

か弱い赤ちゃんの秘密

赤ちゃんはかわいい。

いきなり何を言い出すのかと思われるかも知れないが、皆さんはどうだろうか。自分の子や親類縁者、知人友人の子は当然として、町ですれ違っただけの知らない赤ちゃんでさえも無条件にかわいいと感じたりはしないだろうか。いや、そう感じないからといって、人でなしだなどと非難するつもりはないのだが、赤ちゃんには我々を惹きつけてやまない魅力があるということは多くの人が認めるところだと思う。

そして、赤ちゃんがかわいいのは、赤ちゃんがか弱い存在だという事実と密接な関係があることにも、ほぼ異論はないだろう。大人の庇護なしには生きていくことのできない、小さくて頼りない命。そんな赤ちゃんの姿を見て自然に湧き上がってくる「守ってあげたい」という気持ちは、「かわいい」と思う気持ちとどこかで繋がっている。守ってあげたいからかわいいのか、かわいいから守ってあげたいのか、それはよくわからないが、とにかくその背景に赤ちゃんのか弱さがあるのは間違いない。

それにしても、人間の赤ちゃんというのは本当に弱々しい生き物だ。人間以外の様々な動物たちと比べてみてもそれは際立っている。母親から産み落とされて間もないうちにプルプルと脚を震わせながら立ち上がろうとし、立ち上がったかと思えば今度はすぐに走り出すような動物もいるというのに、人間の赤ちゃんの成長スピードはあまりにも遅い。その上、手がかかる。かかりすぎる。育児疲れのせいで赤ちゃんのことをかわいいと思えなくなる親がいるのも不思議ではない。無責任に赤ちゃんのことをかわいいと言っていると怒られてしまいそうだ。

しかし、赤ちゃんの成長にここまで時間と手間がかかるのには理由がある。人間が他の動物たちとは比べものにならないほど発達した脳を持っているからだ。そのため、人間は赤ちゃんの段階では知能の発達を優先するために他の機能の発達を犠牲にせざるを得ない。すぐに立ったり走り回ったり獲物を捕まえたりはできない代わりに、ゆっくりと、そして着実に、人間はその高い知能を育んでいく。そして、かわいかったはずのあの赤ちゃんは、いつの間にか恐るべき「万物の霊長」へと変貌を遂げて、生き物の頂点に君臨することとなる。赤ちゃんのか弱さは、とてつもないポテンシャルと表裏一体なのである。

「霊長」と化すデジタル情報技術

赤ちゃんにまつわるこうした逆説を考える時、ふと思い浮かぶのがパーソナルコンピューター、パソコンのことだ。パソコンが登場した当初は、ソフトウェア・ハードウェアのどちらにおいてもまだまだ貧弱な能力しか備わっておらず、パソコンにできることなどたかが知れていた。また、それぞれのパソコンはあくまでスタンドアローン、つまり独立した機械に過ぎず、フロッピーディスクやCD－ROMなどが開発されるまでは情報を共有するのも難しかったし、たとえそれらの外部記憶装置があったところで情報共有の規模も速度も現在の水準から見れば明らかに限界があった。パソコンは所詮は高価なおもちゃのようなものであり、こんなものが将来、電話などの通信技術やテレビなどの放送技術の地位を脅かし、それどころかそれらの全てを呑み込んでこの世のあらゆる技術を統合するような特権的な存在へと成長していくとは、にわかには信じられなかったであろう。

ノンフィクション作家の中野明はその著書『ＩＴ全史』の中で、「20世紀のアナログ情報技術の特徴は、情報形式の種類によって、それを伝達する媒体や装置、流通経路が違っていた点だ」と概観している。「会話」「音声」「文書・画像」「映像」という情報形式があった場合、アナログ情報技術の時代にはそれぞれ専用の送信機・通信路・受信機を準備する必要があった。例えば、「会話」なら電話機から電話線を通じて別の電話機へと伝えられるわけだが、これを一括して電話というメディアを利用していると言うことにするならば、「音声」ならラジオ、「文書・画像」ならファクシミリ、「映像」ならテレビというように、情報形式に応じて各メディアが並存しており、基本的にはお互いがその領分を侵すことはなかった。電話があれば他のメディアはもう要らない、ということにはならなかった。デジタル技術が今のように発達していなかった当時、テレビもラジオも無くて「こんな村いやだ」と言って東京へ出る人がもしいたとしたら、きっとその人は東京で牛を飼う前にまずは電話を引き、テレビやラジオを買い、余裕があればＦＡＸも揃えようとしたに違いない。

しかし、現在の世界を席巻しているデジタル情報技術は、これまでのアナログ情報技術とは根本的に異なる前提に基づいている。それは全ての情報を二進数、いわゆるビット情報に変換するようになったという点である。これにより、先程挙げた「会話」「音声」「文書・画像」「映像」という情報形式は、全て単一のビット情報として総合的に取り扱うことが可能になった。そのことを体現しているのがいわゆるマルチメディア・パソコンと呼ばれるハードウェアである。この高性能パソコンの登場と発展により、個人でも気軽に、それもパソコン一台で様々な情報を楽しむことができるようになった。更に、こうした総合的なビット情報を大量に流通させることを可能にした技術が、言うまでもなくインターネットである。特にＷＷＷ（ワールド・ワイド・ウェブ）の開発により、これまでＣＤ－ＲＯＭなどの外部記憶装置に依存していた情報共有は、ネットワークを通じて行われる時代へと本格的に突入した。

その結果、先述の中野の言葉を借りるならば、「共通仕様のソフトウェア（ビット情報）、ビット情報を総合的に取り扱うハードウェア（パソコン）、ビット情報をやりとりするネットワーク（インターネット）という三要素が出揃うことで、従来のように会話をするから電話、音声を聞くからラジオ、映像を見るからテレビというように、情報形式によってメディアを使い分ける必要はなくなる」こととなった。アナログ情報技術全盛の時代においては当然のものであったメディア間の垣根は、デジタル情報技術によって破壊されてしまったのである。我々は現在、パソコンだけでなく、スマートフォンやタブレット型端末を通じて、このボーダレスな状況を日常的に体験できるようになっている。電話（スマホ）さえあればテレビもラジオも要らない、そんな感覚が遂に現実のものとなったのだ。

パソコンが象徴していたデジタル情報技術は更に、「ＩｏＴ（インターネット・オブ・シングス、モノのインターネット）」「ビッグデータ」「ＡＩ（人工知能）」などのキーワードとともに、我々の生活全体を覆い尽くすようになっている。電話もテレビも人間の生活を大きく変えてきた技術には違いないが、デジタル情報技術はそれらの成果も全てひっくるめて、この世に存在するあらゆる技術を統合し制御する地位を獲得しつつある。言うなれば、赤子のようにか弱くて頼りなかった技術が、いつの間にか全ての技術の「霊長」へと成長していく過程を我々は目撃してきたのである。それにしても、この情報技術は何故これほどまでに圧倒的な猛威を振るうこととなったのだろうか。

「IT」の意味を問い直す

実はここまで、「情報技術」という少し回りくどい表現を多用してきたのには理由がある。それは、今ではあまりにも頻繁に使われすぎていてその意味を深く見直すことのない、あの語をなるべく避けておくためだ。そう、「IT」である。考えてみれば、「IT」とはInformation Technologyの略であり、素直に日本語に訳せばまさにそのまま「情報技術」となる。しかし、現在多くの人が「IT」という言葉から連想するイメージは、情報技術一般のことではなくて、パソコンやインターネットの普及を前提としたデジタル情報技術、それも高度に洗練され「霊長」と化したデジタル情報技術のことであろう。つまり、「IT」には文字通りに解釈した「情報技術」という広義の意味と、限定的ではあるが広く普及している「高度デジタル情報技術」という狭義の意味があり、わざわざ「IT」と略す場合は基本的に後者を指すわけである。

ただ、『IT全史』では敢えて前者の意味を採用して、一七九四年にフランスのパリ・リール間で開通した腕木通信という忘れられた技術を近代的な情報技術の始まりと見なしている。そこから、電信、電話、そして現在のインターネットも全て含めて、「情報技術＝IT」だというのだ。ちなみに、この二〇〇年以上にも渡る発展の歴史はアナログな技術からデジタルな技術へ、という単純な変遷ではなく、腕木通信や電信は初歩的なデジタル、電話やラジオやテレビはアナログ、そして現在のいわゆる狭義の「IT」はビット情報を用いたデジタル、という風に推移してきており、アナログだから劣っていてデジタルだから優れているというようなものではないという。

しかし、「IT」の定義をどのように置くにせよ、情報技術が我々の生活にここまで大きな影響を及ぼすようになったのは、技術史全体から見ればまだ日が浅いと言うことができる。情報技術というものは人間が生み出した技術の中では幼い技術、そう、赤子のような技術なのである。現代のデジタル情報技術、つまり狭義の「IT」が誕生当初は赤子のようにか弱く頼りないものだったことは先にも述べたが、考えてみればそれは狭義の「IT」に限った話なのではなく、情報技術一般に言えることかも知れない。

我々は日々至る所で「IT」に囲まれ、その恩恵にあずかりつつも明らかに翻弄されているように思われる。「IT」によって人間社会が根本的な転換を迫られていると予測する人も少なくない。しかし、その幼さとか弱さにもかかわらず瞬く間に「霊長」へと昇りつめる赤子のような性質が、あらゆる情報技術に通底するものなのだとすれば、現状を見つめ直すためにインターネットやスマートフォンなど狭義の「IT」の目まぐるしい変化だけを追いかけていても、仕方がないしキリがないだろう。それよりも、情報技術という赤子の正体とは何なのか、そもそも情報や技術とは我々にとってどのような意味を持っているのか、という問題を改めて考えてみる必要がありそうだ。

ハイデガーの技術論とは

現代を生きる我々の生活の、ほぼ全ての領域を覆い尽くしつつある「IT」。パソコン、インターネット、スマートフォン、そしてAIに代表されるこの高度デジタル情報技術は、人間がこれまでに生み出した技術の単なる一つなどではなく、他の全ての技術を統合し制御する「霊長」へと昇りつめてしまった。何故、情報技術はこれほどまでに特権的な地位を占めるに至ったのか。そのことを考えるためには、情報や技術といった概念そのものを洗い直す必要がある。

現代の技術が抱える諸問題について、まさに「技術的」な解決方法を提示しようとするのではなく、むしろ人間存在にとっての原理的な問いとして捉えようとした人に、あのマルティン・ハイデガーがいる。『存在と時間』で知られるハイデガーは、二〇世紀最大の哲学者の一人であると同時に、フライブルグ大学総長時代にナチス政権を支持し思想的に協力したとされる論争的な人物である。第二次世界大戦後にはそのためにしばらく不遇な時を過ごすこととなった、そんな彼が戦後の言論界で再び脚光を浴びるきっかけとなったのが、一九五三年にミュンヘン工科大学で行われた「技術への問い」という講演であった。ハイデガーにとって技術論は、厳しい批判や懐疑の目が向けられていた自身の哲学の意義を改めて世に問うための、いわば再デビューの場となったのである。

とは言え、ハイデガーだけが例外的に技術に関する思索を巡らせていたという訳ではない。むしろこの当時において技術論は一種の流行であり、科学技術の脅威はある意味では今以上に切実なテーマだったと言える。そのような風潮が生まれた背景には、原子力の存在があった。原子力は、核爆弾という未曾有の大量破壊兵器を実現することで大戦の終結と冷戦の開始を決定づけるとともに、我々の物質生活を飛躍的に向上させる可能性を持つ原子力発電というエネルギー革命ももたらした。人類は遂に、使い方を誤れば地球もろとも自らを消滅させることができるほどの大きな力を手に入れてしまったが、それを作り出す技術はあっても制御する技術はないという不気味な状況に投げ出された。いや、よく考えてみれば、現代の科学技術というのは、原子力に限らず制御不能という性質に特徴づけられているのではないか。こうした不安が当時の人々を取り巻いていたのである。

このような時代の空気の中でハイデガーは技術論を展開していったのだが、興味深いことに彼は高度技術社会の到来と発展について必ずしも否定的な態度をとってはいない。それどころか技術の問題は基本的に技術によって解決していくものだと考えていた。原子力のように一見制御不能に見える技術でさえも、いつかは更なる技術によって制御されていく。ハイデガーは技術の限界によって引き起こされる危機については、まるで楽観的に見えるほど心配していない。しかし、それは裏返せば、現代は技術が限界なく発展していき何もかもが技術によって解決してしまう、人々が一般に思っている以上にグロテスクで危機的な時代だと彼が観察していたことを意味していた。

技術による「挑発」と科学の知

ハイデガーは技術（ドイツ語における Technik）の語源である古代ギリシャ語の「テクネー」が、手仕事やそのための技量だけではなく、現代であれば芸術に当てはまるような高尚な技にも用いられていたと指摘する。テクネーとは単に物を作る「製作」という行為を表しているのではなくて、物を熟知しその中に潜む真理のようなものを我々の前にもたらす、彼独自の用語でいうところの「開蔵」に関わる行為なのだという。そして現代における技術もまた、ギリシャにおけるテクネー同様、一種の開蔵に他ならない。しかし、技術がテクネーとは異なるのは、テクネーが開蔵するのがまだ見ぬ真理のようなものであるのに対して、技術が開蔵するのはエネルギーだけであり、技術の前では自然界に存在する全ての物はエネルギー貯蔵庫として役立つかどうかだけが重要になってしまうという点なのだ。ハイデガーはこうした現代技術による強引なエネルギーの開蔵を「挑発」と呼んでいる。

自然を挑発してそのエネルギーを掘り当て、作り変え、貯蔵し、分配し、転換する。技術はその多岐に渡る挑発のプロセスを無駄なく合理的に遂行していくために、それを制御する必要がある。いや、むしろこの制御というプロセス自体も、技術に内在した特徴の一つだと言える。そのため、技術は近代的な科学という知を利用する必然性に迫られる。ハイデガーは、科学が技術を生み出したというよりも、むしろ技術が科学の発展を要求しているとさえ主張している。

こうした考え方に基づいて展開されたハイデガーの技術論が、更に問題の核心へと迫ったと思われるのが、一九六二年に「伝承された言語と技術的な言語」という題で行われた講演であった。彼はここでも技術と科学との倒逆的な関係についてこう述べている。

簡潔にしかも先鋭化して言えば、テクネーは作ること〔Machen〕についての概念ではなく、知〔Wissen〕についての概念なのである。テクネーと、それとともに技術とが本来意味するところは、なにかあるものが明らかなところへと、到達可能にして処理可能なところへ立てられ、現前するものとして存立〔Stand〕するようにされるということである。すると、技術のなかに知という根本特徴が支配しているなら、技術に固有な知がことさらに形作られ、そしてそのような知に呼応した科学がただちに展開され、提案されるというような可能性と要請とを、技術自体がそれ自体から差し出すだろう。そういうことが生じたのである。

つまり、技術の問題は根本的には知の問題であり、技術に結びついた知のあり方がテクネーに結びついた知とはあまりに大きくかけ離れていることが、現代社会の性質を決定しているのだという。そして、技術の問題が知の問題であるのと同時に、知の問題は言語の問題である。技術を内部から制御する知が近代科学であるならば、その科学の知にふさわしい言語が要請されるのもある意味では当然のことだろう。それでは、その言語とはどのようなものか。ハイデガーによれば、それは言語そのものが完全に技術化された言語、情報としての言語だというのだ。

人間の「情報技術化」？

古代のテクネーに固有な知にふさわしい言語とは、熟慮の末編み出された職人芸や芸術のように、真理のようなものを我々の前にもたらしてくれる言語であった。ハイデガーはそれを「詩のようなもの」だと説明しているが、それに対して技術時代において要求される言語は、まさに言語自体が単なる技術の一部となり、伝達と報告とのための手段と改変されたものである。それをハイデガーは情報と呼んだ。

ここまで来ると、現代の情報技術が技術の「霊長」となったのも十分頷ける。何故なら、情報とは技術に固有な知を最も合理的に動かすための技術、まさに技術の中の技術だからだ。しかし、「IT」の領域においてありとあらゆる情報形式がビット情報に還元されてしまったように、言語は単なる情報に回収されてしまうのだろうか。ハイデガーはその疑問に答える前置きとして、このようなことを言っている。

技術の支配がすべてのことを規定すると考えて、情報こそが、知らせや指示を仲立ちするさいの一義性、確実性、迅速さのゆえに、言語の最高形式であるとみなすなら、そのことから人間存在と人間の生命とについてこれに対応した理解もまた生じてくる。

そもそも、知とは人間を「万物の霊長」たる存在として他の生物と区別するものだったはずである。だから、言語が技術化の果てに情報に変わるならば人間の知も徹底的に変容し、人間という存在もこれまでとは全く異なるものになってしまうだろう。ただしそれは、情報が人間の生をただ制御するというのではなくて、人間の生そのものが情報による制御にふさわしいものに自ら変わろうとする、人間自身の「情報技術化」を意味する。

ハイデガーにとって技術とは自然の挑発であり、エネルギーの開蔵だった訳だが、人間が自らを情報技術へと改変していくというのは、要するに人間が人間自身を挑発して自分の中にあるエネルギーを開蔵しようとする行為だということができる。このプロセスにおいては、情報技術化する前の人間はただのエネルギー貯蔵庫としての価値しか認められなくなる。人間存在の意義は全て技術的にのみ査定され、我々は他人どころか自分自身のことでさえも、役に立つかどうかでしか評価できなくなる。

しかし、ハイデガーは言語を情報へと改変するプロセスはいつか必然的に限界に突き当たるという。何故なら、いかに言語を技術化して一義的な記号による情報に変換しようとしても、それは既に自然言語、つまり最初から技術化するために考案されたのではなく、いつの間にか存在して我々の元に伝承されてきた言語を前提にしなければならないからだ。我々が日常的に用いているこの言語は、どこまで言っても情報化されない部分を含み、それが言語に新しい可能性を与え続けることとなる。

すでに語られた言語それ自体が語られざるものを含み、それを贈るのである。言語の伝承は言語自体によって遂行される。しかもその遂行は、言語が人間に次のことを要求するというしかたでなされる。すなわち、人間がとっておかれた言語から世界を新たに言い、そのことによっていまだなお見られていないものを輝きにもたらさねばならないのである。これこそが詩人の使命である。

ハイデガーは「詩人の使命」と言ったが、これは言葉（ロゴス）に関わる者、つまり全ての人間へのメッセージとして受け取るべきだろう。「テクネーのロゴス」としての言語を、「テクノロジー」としての情報で埋め尽くさないこと、それは究極的には人間を挑発の対象として見ないことに繋がる。そういえば、赤ちゃんはエネルギー貯蔵庫だからかわいいのではない。赤ちゃんは、かわいいからかわいいのだ。

第10章　知能とオントロジー

何故人の顔を見分けられるのか

このような状況を少し想像してみて欲しい。あなたはある特定の人物のことをよく知っていて、顔を見ればすぐにその人だとわかる。それは知人でもいいし、有名人でもいい。とにかく、あなたはその人の顔を知っている。そんなあなたの目の前に突然、おびただしい数の顔写真が並べられ、その中から知っている人の写真を探せと言われたとする。

顔写真は何百人分とあり、似たようなタイプの顔はいくらでも見つかるのだが、それでもあなたはそこまで苦労せずに、その人の顔写真を見つけることができるだろう。あなたが愛着を持っている相手の場合はなおさら簡単に違いない。「ああ、この人です」などと言いながら、あなたは一枚の写真を手に取ることになる。

しかし、そもそもあなたはどうやって、その人の顔を見分けることができたのだろうか。その人の目の大きさや、鼻の形、唇の色、そしてそれらの配置などについて、正確な知識を持っていたのだろうか。仮にそのような知識を持っていたとして、あなたはそれを言葉で説明できるだろうか。

これらの質問を前にして、あなたは自分がその人の顔を特定できた理由を説明することがかなり難しいということに気づくだろう。写真を見れば一目瞭然だったことも、その内容を逐一言語化し厳密に規定しようとすると、たちまち謎めいてくる。その人の目鼻立ちや輪郭などについて、あなたは「何か」を知っていたからこそ顔を特定できたはずだ。それにもかかわらず、その「何か」は簡単には言葉に置き換えられないのだ。

確かに言葉では上手く説明できない、それは認める。それでも、顔写真を見つけ出すことができたのだから、自分はその人の顔についてよくわかっているはずだ。あなたはひょっとするとそう思っているかも知れない。しかし、そんな時はお正月遊びで有名な福笑いを思い浮かべてもらいたい。もしあなたが知っている人の顔を様々なパーツに分けて、目や鼻だけ、または輪郭だけを、他の人たちのパーツと並べられたとしたら、果たしてあなたはその人の顔をすぐに見つけた時のように、その人の顔のパーツのことも見つけることができるだろうか。

おそらくだが、たとえサンプル数を先ほどより減らしたとしても、極端に難易度は上がってしまうことだろう。そこであなたは気づくことになる。あなたはその人の顔のことをよく知っているつもりだし、実際よく知っている。それにもかかわらず、あなたはその人の顔の細かい部分について、別に正確な知識を持ち合わせているわけではなかったのだ。逆に言えば、あなたは人の顔を構成する各々の要素について明確に認識しないまま、言語化できない形で総体としての顔を捉えることができるのだ。

マイケル・ポランニーの「暗黙知」

科学哲学者のマイケル・ポランニーは、このような知のあり方を「暗黙知(tacit knowing)」と名付け、その構造について論じている。まず、我々は顔を捉える際に顔の諸部分の特徴を知覚するが、その後、我々の注意は諸部分から総体としての顔へと移っていく。すると諸部分について我々は明確に述べることができなくなってしまう。ポランニーはこれを暗黙知の「機能的側面」と呼んでいる。ただ、機能的には諸部分についての明確な認識を失いつつも、我々は総体としての顔の持つ様相、つまり人相を介して諸部分をちゃんと知覚している。こちらは暗黙知の「現象的側面」と呼ばれている。

ちなみに人相とは、顔の諸部分が組み合わされることによって表される一種の「意味」だと言えるわけだが、我々が諸部分から受け取る情報は人相へと翻訳される。そして諸部分そのものは無「意味」化して後景へと退いていく。これが暗黙知の「意味論的側面」である。

人相の特定という例だけではこの「意味論的側面」は非常にわかりにくいので、ポランニーは暗闇の中を歩くために使う探り棒や、目の見えない人が利用している杖の例を新たに持ち出している。探り棒や杖を初めて使う人は最初、それを握る手の感覚に気を取られるが、慣れてくるに従って棒や杖の先端がどこかに触れている感覚に集中するようになる。すると、手が受け取っていた感覚の「意味」は、「棒や杖を持っている」から「道を探っている」へと、いわば遠ざかっていく。しかし、「意味」が我々から遠ざかっている時こそ暗黙知は活性化し、我々は棒や杖をまるで体の一部かのように自由自在に操ることができるのだ。

このようにポランニーは暗黙知の持つ三つの側面を説明した後、これらから推論される最後の四つ目の側面、彼が暗黙知の「存在論的側面」と呼ぶものを指摘している。それは言うなれば、「暗黙知は結局何を認識するものであるか」という問いに対する答えなのだが、人相を特定するにせよ、探り棒や杖を巧みに使って見えない道を探り当てるにせよ、暗黙知とは実は「包括的存在（comprehensive entity）」を理解することなのだと、ポランニーは言うのだ。

ここで重要なのは、包括的存在および包括的存在の理解の内実を言葉で言い表すことはできないという点である。言語化するとはまさに「言分け（ことわけ）」することであり、統一されたものを分析して明瞭化しようとする行為だと言える。しかし、暗黙知とは、諸部分から全体へと注意の焦点を移すことで諸部分についてては曖昧な認識しかできなくなることを不可避的に含み、それでいて全体への注意を介して諸部分を言語的にではなく身体的に知覚し、更にはそうした知覚を、自己から遠ざかったところにある「意味」へと結びつけ、全体そのものとして把握することなのである。

再び人相の例に戻れば、我々は目鼻立ちや輪郭などを言語によって分析したり明瞭化したりしない、もしくはできないことによって初めて、顔の総合的な現れ、つまり人相を理解することができる。極めて奇妙なことに、我々は人の顔を「言分け」しないからこそ、よく知ることができるのだ。顔のパーツをどんなに執拗に観察し概念化し尽くそうとしても、トータルな像としての人相は知り得ない。諸部分についての分析的な知識をどれほど積み重ねたところで、包括的存在の理解にはたどり着かない、ポランニーはそう考えたのだった。

包括的存在に関わる知だということから容易に想像できるように、暗黙知は諸部分についての分析知よりも上位に置かれる知のあり方だということができる。包括的存在（例えば人相）そのものは間違いなく諸部分から構成されており、諸部分を支配する原理によって規定されているはずである。それにもかかわらず、諸部分を支配する原理は包括的存在に固有の原理を基礎付けることはできない。

ポランニーにとって暗黙知とは、人相の特定や道の探り当てなどに留まらない、発見と創発に関わる根源的な知であった。ここで言う発見や創発は、日常生活における認知行為だけでなく、科学や芸術といった人間の生の形式全てにおける積極的な更新を指している。我々は言葉にはならずとも確実に人の顔を見分けるように、分析知からは到底導き出せない「不意の確証」によって、これまで誰も気づかなかった発見をしたり新しい価値を創造したりすることがある。そして今度はその発見や価値創造によるパラダイム転換が起こり、分析知で得られる知識は、暗黙知が生み出した新しいパラダイムのもとで再編成されることになるのだ。

分析知に偏重することの危険

だとすれば、科学者であれ芸術家であれ一般的な生活者であれ、何か新しい発見や創造に携わりたいならば、言葉にできない包括的存在とやらを肌で感じながら、分析知に囚われることなく無心で探求しなければいけないということになるだろうが、これではまるで神秘的直観を信じる思考停止の立場と変わらないように思えてしまう。

そのせいもあってか、ポランニーが暗黙知という概念を提唱して以来、この魅力的な概念を自分の術語として採用する人たちが現れては来たが、その多くは暗黙知のことを「今は上手く説明できないだけでいずれは理論によって体系化できる知識」と換骨奪胎してしまい、この「俗流暗黙知」を言語化しようとしてきた。言い換えれば、発見や創発を生み出すメカニズムを、分析知によって解き明かそうとしてしまうのだ。

しかも周知の通り、現代はポランニーが生きた時代に比べ、情報技術（IT）と人工知能（AI）研究が飛躍的に進展した。そのため、これまでは人間の専売特許だと思われていた複雑な知的作業もコンピュータが代理できる、いや、それどころか人間を凌駕するレベルでコンピュータが「思考」できるのではないかと、人々は思い始めている。

そんな時代状況にあっては、ポランニーのよくわからない暗黙知など過去の遺物に過ぎず、「俗流暗黙知」の言語化プロジェクトの方が圧倒的に現実的だと考える人がいてもおかしくない。ただ、ディープラーニングによる囲碁や将棋の「制覇」などは、その演算の内部で何が起こっているのか言語化できないという点で、「俗流暗黙知」よりもむしろポランニーの暗黙知に似てしまっているのは皮肉な話である。

それはともかく、元々は自然科学者としてキャリアを開始した彼は、分析知に偏重した近代科学に対し、このような警鐘を鳴らしている。

世に謳われた近代科学の目的は、私的なものを完全に排し、客観的な認識を得ることである。たとえこの理想にもとることがあっても、それは単なる一時的な不完全性にすぎないのだから、私たちはそれを取り除くよう頑張らなければならないということだ。しかし、もしも暗黙的思考が知全体の中でも不可欠の構成要素であるとするなら、個人的な知識要素をすべて駆除しようという近代科学の理想は、結局のところ、すべての知識の破壊を目指すことになるだろう。厳密科学が信奉する理想は、根本的に誤解を招きかねないものであり、たぶん無惨な結末をもたらす誤謬の原因だということが、明らかになるだろう。

ポランニーの目には、人工知能の猛威に翻弄される我々は危険な思想状況にあるように映るだろう。しかし、分析知の暴走を抑え、暗黙知を発揮するにはどうすればいいのだろうか。この問題を解く鍵は、彼がこだわった包括的存在という概念にあるように思われる。

暗黙知の矮小化とその原因

諸部分については正確に言い表すことができなくとも、全体を総合的に捉えることができる、そのような知のあり方を、科学哲学者のマイケル・ポランニーは「暗黙知」と呼んだ。そしてこれこそが、人相の特定から科学的な発見や芸術的な創発に至るまで、人間の創造的な活動全体に関わる根源的な知であると彼は考え、分析知に偏重する近代科学の姿勢を厳しく批判した。

しかし、暗黙知という概念を取り扱うことが難しいからか、多くの論者は暗黙知のことを「今はまだ上手く説明できていないだけの、ちょっとしたコツ」のようなものに矮小化してしまい、分析知によってこの「俗流暗黙知」を理論化しようとしてきたのだった。近年の情報技術と結びついた人工知能研究は、まさに「俗流暗黙知」を解き明かそうとするものに他ならない。

我々の多くは、人工知能研究によって人間の創造性の秘密が解明されること、人間特有と思われてきた知的活動が機械にも可能になることを、かなりの面で信じてしまっているし、だからこそ恐れおののいている。ポランニーは分析知の暴走を抑えるために暗黙知の重要性を提唱したのだが、彼の概念を「俗流暗黙知」のように読み替えてしまい、近代科学によって理論化を推し進めている様子を見る限り、分析知の暴走はもはや止めようのない所まで来ているかのようである。

それでは、ポランニーが考えた暗黙知などというものは、もはや真面目に検討する価値のない概念なのだろうか。そうではないということを示す前にまず指摘しておかなければいけないのは、ポランニーの議論の方にも誤解を招くような側面があったということだ。それは、暗黙知が包括的存在を理解する知であるという時の、その「包括的存在（comprehensive entity）」という表現に顕著である。

言語による分析的なアプローチでは汲み尽くせないという意味で付けられた「包括的」という形容は、どうしても「包括的に理解できる（comprehensible）」との混同、もしくはその連想を招きかねない。何か一つにまとまった統一体としての「存在」が実際にあり、我々がそれを理解できると考えてしまえば、次の段階ではつい、「ゆくゆくは言語化できるはず」と欲を出してしまうだろう。

このように、せっかく豊かな概念として暗黙知を構想したにもかかわらず、それが結局どのような知なのかに関して誤解を与えてしまうのは、暗黙知が対象とする包括的存在の定義に不備があり、何故それが分析知では捉えられないのかを上手く説明できていないからなのではないだろうか。

人工知能・自然知能・天然知能

理論生命学者の郡司ペギオ幸夫はその著書『天然知能』の中で、タイトルにもある天然知能という彼独自の概念を説明する際に、人工知能だけではなく自然知能という、こちらもまた聞き慣れない概念を持ち出している。そして、世界に対する対処の仕方は、人工知能によるもの、自然知能によるもの、そして天然知能によるものの三つに大別されるという。

例えば身近な虫や魚への対処の仕方を例にとると、人工知能はそれらに対して自分にとっての用途や評価を明確に規定した上で、その基準のみで今目の前にいる虫や魚を自分の世界に帰属させるか排除するかを判断しながら世界を広げていく。益虫として利用するか害虫として駆除するか、食べて体内に取り込むのか毒があるので無視するのか、人工知能が虫や魚に持つ関心はこれだけであり、対処の仕方はその基準が何であるかに依存する。郡司にとって人工知能とは人工的なテクノロジーであることとは直接関係のない、より普遍的な知のモデルなのである。

次に自然知能だが、これは自然科学が規定する知能、自然科学的思考一般のことだと彼は定義する。そして、自然知能の対処の典型は「昆虫少年の思考様式」だと述べている。標本作りに躍起になる「昆虫少年」は、世界を理解する上で博物学的・分類学的興味から虫や魚に対処していく。つまり、人工知能が「自分にとっての」知識世界を構築しようとするのに対して、自然知能は「世界にとっての」知識世界を構築しようとしているのだと言うことができる。

それでは、天然知能は世界にどのように対処するのだろうか。郡司は、天然知能はただ世界を受け容れるだけだという。誰にとってのものでもなく、知識ですらない。評価軸が定まっておらず、場当たり的、恣意的で、知覚したりしなかったりするのが、彼の言う天然知能なのだ。彼は自身が少年時代、食べるためでも博物学的興味からでもなく、ただナマズやコイを捕ってはしばらく飼って、そのあと逃していたことを紹介して、その頃の自分は天然知能だったと回顧している。

郡司がこうした知のあり方を敢えて天然知能と呼ぶのは、いわゆる「天然ボケ」のように、ピントのずれた感覚や性格を「天然」と表現する用法に倣ったものである。しかし、非論理的で愚直というイメージを超えて、明るく楽天的で、生きることへの無条件の肯定が感じられると述べた後、彼は天然知能の重要性をこう説明している。

人工知能や自然知能には創造性がなく、天然知能だけが創造性を持つのです。なぜそう言えるのでしょうか。人工知能や自然知能は、知覚したものだけを自分の世界に取り込み、知覚できないものの存在を許容できません。そこには外部を取り込み、世界を刷新する能力がないのです。天然知能は、知覚できないものの存在を感じ、それを取り込もうと待ち構えている。この意味で天然知能は、自らの世界の存立基盤を変えてしまうのです。

もうそろそろお察しのことかと思うが、創造性と世界の刷新に関わるという点で、郡司の天然知能はポランニーの暗黙知と深い部分で呼応する概念だということが言える。暗黙知もまた、科学的発見や芸術的な創発に結びついた知であり、パラダイムの転換を起こし世界を更新するための知だからである。そうだとすれば、この二つの知が捉えようとするものも重なってくるはずである。

ポランニーの暗黙知が包括的存在を全体的に捉えるものであったのに対し、郡司の天然知能は外部、つまり知覚できないものの存在を取り込むことができる知だと規定されている。まず、誤解のないように丁寧に補足しておくと、天然知能は決して知覚できないもの「だけ」を取り込むわけではない。天然知能は人工知能や自然知能が対象とするような、知覚できるもの、言い換えれば自分の内部として捉えられるものも当然受け容れる。その意味では、天然知能が対象としているもののことを包括的存在と呼んでも良さそうだということがわかる。

しかし、ポランニーは包括的存在を説明する上で、人相の特定のような知覚のモデルしか提示しなかった。そのため、人相という全体的なイメージを捉えるためには顔のパーツといった個別の知覚から遠ざかることがいかに重要だと説いても、最終的には何らかの知覚できるもの、つまり内部を暗黙知が対象としているように読めてしまうのだ。その結果、暗黙知は「俗流暗黙知＝ちょっとしたコツ」化してしまい、厳密にやっていけば科学で解き明かせるものだと見事に誤解されることとなる。

一・五人称的知性――「あなた」に対面する

それに関連して、郡司は興味深い指摘をしている。徹底した「わたし」の世界を構築するという意味で、彼は人工知能のことを一人称的知性と呼ぶ一方、世界についての客観的な知識を指向する自然知能のことは三人称的知性と呼んでいる。そして、先ほどの引用にもあったように、どちらも知覚されない外部の存在に関心を持たないという点でこの二つは結びつき、最終的には同じものに収斂するというのだ。

一人称的知性と三人称的知性が一つになるというのは少し意外に思えるが、まさに近年の人工知能研究はこのことを象徴しているように思われる。現代の人工知能は、高度情報技術との融合によって飛躍的な発展を遂げているわけだが、設定された目的に向けてどこまでも邁進していくＡＩはまさに一人称的であり、その弱点を補うためにビッグデータを注ぎ込むＩＴは三人称的だということができるからだ。

ポランニーは、近代科学の目的とは私的なものを完全に排除し客観的な認識を得ることだと語っていたが、彼は近代科学の特徴を分析知にばかり見るあまり、博物学的知に重点を置く郡司のように、一人称と三人称の収斂という視点を持つことはなかった。そのため、ポランニーの暗黙知の議論は、単に私的な、「わたし」の知を擁護するかのように映ってしまったのだ。

さてそれでは、人工知能が一人称、自然知能が三人称だとすれば、天然知能は何と呼ぶことができるのだろうか。郡司は、それが「あなた」に対面する「わたし」のことであるという意味で、一・五人称的知性と言うことができるという。ここでの「あなた」とは、「わたし」とは相関を持たないもの、つまり外部のことである。外部はどこまでいっても「わたし」化できない。「わたし」化できるならば、「あなた」と「わたし」は大きな一人称の「わたしたち」に回収される。そして、一人称と三人称は収斂して、「わたしたち」は知覚できる世界全体の中に位置づけられ、整理され、そして分析可能なものとして顔を失っていくことになる。

外部としての「あなた」は、そのように捉えることのできない想定外の存在であり、「わたし」は「あなた」の存在を受け容れることで、今までの「わたし」から一歩抜け出し、世界を更新するのである。暗黙知が捉える包括的存在も、全て「わたし」化できるものならば、発見と創造に繋がるはずがない。包括的存在は「あなた」を含むからこそ、創造的な知を生み出すのである。

しかし、この天然知能を経由した暗黙知の読み替えが妥当なのだとすれば、我々が「わたし」らしい知性を発揮したいのならば、世界や「わたし」自身を分析の目で見つめすぎることをやめて、知覚することのできない「あなた」の存在を確信して受け容れていくことが重要なのだということになる。真に知的であるということは、「あなた」という存在への信仰を持ち、それに対して敬虔な態度で生きることを意味しているのだ。

第11章　芸術とエティモロジー

古さがかえって美を生む

あなたは今、とある寺を訪れている。初めてやって来たその寺は、これと言って目立った特徴もなく、失礼ながら名前も聞いたことがない。しかし、その建物はいかにも典型的な寺院らしい佇まいをしているとしよう。さて、あなたは一体どのような寺を思い浮かべただろうか。

いきなり何を言い出すのかと思ったかも知れないが、このような質問をされると、おそらくほとんどの人の頭には由緒ある古寺の姿が浮かんでくるのではないだろうか。つまり、我々が寺と聞いて抱く一般的なイメージは「古い」というものであり、何も言わなくても最初から古寺であることが前提になっている。最近創建されたばかりの、それも鉄筋コンクリートで作られた近代建築をいきなり想像する人は珍しいだろう。寺というものは、大抵は長年の風雪に耐え老朽化した木造建築であるという固定観念が我々の中にはある。

そして、これは単に「寺とは古いものだ」という事実認識に留まらない。我々は寺院建築を仏教美術の作品として鑑賞する際、どこかで「寺は古びているからこそ立派で美しい」という価値判断を忍び込ませているのではないだろうか。さすがに「見捨てられ荒れ果てた寺の方が美しい」という極端な考えを持つ人は少ないだろうが、手入れや修繕がなされつつも自然な風合を帯びている古寺に我々の多くはおごそかな美を見い出してきたし、それは建築だけでなく、仏像などに対しても同じである。表面に貼られた金箔が鈍く変色し、あちこちが少し破損している仏像には、ピカピカに輝く仏像にはない重厚感があり、むしろその穏やかで上品な美しさこそが仏像の醍醐味だと考える人がいてもおかしくない。

このように、寺院や仏像などの仏教美術は、古さがかえって美を生み出すという価値観を我々にごく自然な形で植えつけてきたと言える。こうした価値観は最初は信仰と深く結びついていただろうが、今となっては必ずしも宗教的な性格を持たないものにまで広く行き渡っている。骨董品としての茶器や什器(じゅうき)などは、まさに古色の趣が重んじられる代表的な存在だろう。歴史を経てきたからこそ醸し出される魅力が骨董にはあり、未使用新品だから良いという価値観とはまるで正反対の基準によって、美しいかどうかが決まってくる。

更には、人の手による作品だけでなく自然物や風景も含めたあらゆる存在物にさえも、我々はこうした価値観を通して美的な判断をくだすことがある。例えば、松尾芭蕉の有名な句「古池や蛙飛びこむ水の音」の「古池」という表現などは、そのことをよく示している。我々はこの「古池」という言葉をつい当たり前のように受け入れ、しかも何となく雰囲気を摑んだような気になってしまうが、よく考えてみると「古池」とは一体どのような池を指しているのだろうか。

文字通り素直に受け取れば、昔からある池ということになるのだろうが、池のような自然の地形は昔からあるのが普通だ。ちょっとやそっとの昔ではなく、人類が誕生する何億年も前からある池だとでもいうのだろうか。しかし、仮にそんな池があったとしても、芭蕉がそれを「古池」と呼んでいるとは考えにくい。おそらく「古池」とは、古い建築や工芸品と似たような美しさを感じさせる池のことを表していると思われる。普段は人目につかない山奥で、気が遠くなるほどの静寂の中に潜んでいる池。まるで全てが動きを止めた、死の世界に存在しているかのようなその水面に蛙が飛びこむからこそ、その音が響き渡る一瞬だけ生命の躍動が顔をのぞかせ、そして余韻を残して再び消え去る。「古池」とは、このような句の舞台にふさわしい、ある種の美を帯びた風景を連想させるための表現なのだ。

Kawaii よりも先に輸出された Wabi-sabi

そろそろ回りくどい説明は終わりにしよう。先ほどから述べてきた、古びているからこその美、古色の趣から発展した独特な美意識とは、実は「わびさび」のことを指していたのだった。「わびさび」とは厳密に言うと、「わび」と「さび」という近接概念を繋げてひとまとめにしたもので、比較的新しく成立した語とされるが、それはともかく、この「わび」「さび」そして「わびさび」によって表現される美的な感覚を、日本に住む人々は伝統的に大切にしてきた。そしてその感覚を元に茶の湯や俳諧などの芸術形式を生み出してきた。「わびさび」だけが日本人の美意識を形成してきたなどと言うつもりはないが、少なくとも歴史のある時期から「わびさび」は日本文化に無視できないほど大きな影響を与え続けてきたのである。

そんな「わびさび」は、今では Wabi-sabi として Zen や Haiku などとともに海外でも広く知られる言葉になった。そう、Wabi-sabi は Kawaii よりも先に世界に紹介された日本特有の美意識であり、海外の人から見てもユニークな感覚だったからこそ、翻訳不可能な概念としてそのまま輸出されたのだ。それでは、「わびさび」のどこがユニークなのか。おそらくそれは、完全よりも不完全に、充実よりも欠如に、そして盛況よりも閑寂に美を見い出すという、極めて逆説的としか言いようのないねじれた価値観を「わびさび」が提示しており、しかもそれがごく自然な感覚として日本文化のすみずみに行き渡っている点にあると思われる。

よく考えてみれば、寺や仏像はそれらが作られた当初は色も鮮やかでピカピカに輝いていたに違いないし、それを作った人たちが「これはもっと古びた方が美しいんだけどな」なんて思ったとは考えにくい。もしできたばかりの真新しい状態を完成品と捉えるならば、経年変化は作品の質を損なうものでしかないからだ。しかし、「わびさび」の心を理解する人は、古びた寺や仏像のことを古びているからこそ趣のある作品だと見なし、できたばかりの頃よりも現在の姿の方がより質的に優れた状態にあると信じて疑わないのだ。これは逆説どころか、もはや倒錯的な趣味とすら思える。

西洋社会においても、荘厳な教会建築に伝統の美を感じ取ることはごく当然のことだろうし、アンティークの愛好も普遍的な現象だろうが、「わびさび」のように不完全で何かを欠けた状態をここまで称揚する感覚は例外的だと言えるだろう。西洋美術の代表である絵画に至ってはなおさらである。「モナリザ」や「ひまわり」を見て、色褪せているから美しいと思う人がどれほどいるだろうか。完成当初が最高の状態だったと考えるからこそ、どうにかして名画が劣化しないように人々は細心の注意を払っているのだ。

日本でも絵画のような美術品はその質をできる限り損ねないよう慎重に保管されているだろう。しかし、古びることについての執拗な関心と究極的な肯定をその背景に持つ「わびさび」の心は、様々な芸術形式において劣化でさえも絶対的な悪とは見なさない。これはどう考えても西洋の芸術には馴染みの薄い感性だと言わざるを得ないだろう。この「わびさび」という奇妙な美意識は、どのようにして育まれてきたのだろうか。

「さび」の三つの語源

倫理学および日本思想史の研究者である田中久文は、『日本美を哲学する――あはれ・幽玄・さび・いき』の中で、日本人の伝統的な美意識や芸術観を分析するにあたり様々な思想家の議論を参照しているのだが、副題に列挙されている概念の内、「あはれ」「幽玄」「さび」の三者については、明治生まれの美学者である大西克礼（よしのり）の美的範疇論に大きく依拠している。というのも、この大西は田中の言葉を借りるならば「日本美を初めて美学の体系のなかに本格的に取り込んだ美学者」なのであり、「あはれ」「幽玄」そして「さび」を日本の美学を代表するものと見なしていたからだ。

ちなみに、田中は大西の挙げた三つに、九鬼周造が着目したことで知られる「いき」という概念を加え、この四つの概念を日本人の伝統的美意識として定式化することを試みている。その全てをここで紹介する余裕はないが、先ほどから「わびさび」について考えてきた我々が最も注目すべきなのは、当然ながら「さび」についての議論だと言えるだろう。

田中によると、大西は「さび」とは何かを解明する最初の手がかりとして、「さび」という言葉の一般的な語義を問題にしているという。大西は『大言海』を頼りに、「さび」だけでなく「さぶ」「さびる」といった一連の言葉の語源を探っており、それらの言葉には二つ、別々の語源が存在していることを指摘している。一つ目が「荒ぶ」という意味、そしてもう一つが「然帯ぶ」という意味である。しかし、詳しく考察してみると、「荒ぶ」の方は更に毛色の異なる二つの意味に分けられるため、結局「さび」の語源は三つあると考えることができるようだ。

まず、「荒ぶ」とはわかりやすく説明すると「殺風景になる」「さびれる」という意味であり、そこから「寒い」という意味の「さぶし」や、「淋」の字が当てられる「さびし」という言葉が派生したのだという。この「荒ぶ」を語源に持つ「さび」は、孤寂、閑寂、寂静、またそこから転じて淡泊、清浄、質素、清貧を表すことになった。

次に、「荒ぶ」は「宿」「老」「古」などの漢字を当てて「年を経てふるびる」という意味を持つこともあり、ここから「古びて趣あり」といった意味の「さびる」や、錆びるという意味の「錆ぶ」が派生したという。錆びるという意味はさておき、古びていて趣きがあるという意味での「さび」は、先ほど「わびさび」について述べた内容と非常に重なっていると言えるだろう。

最後に、「さび」には「荒ぶ」とは全く別に、「然帯ぶ」という語源が考えられるという。これは「そのものらしい様子や状態を示す」という意味で、例えば「神さび」とは「神々しい」ということを表している。ただ、この「然帯ぶ」は次第に「荒ぶ」と重ねて考えられるようになったと大西は説明している。

このように、「さび」には三つの語源が存在するのだが、大西が独創的なのは、松尾芭蕉の弟子たちである蕉門が展開した美学的な議論を三つに分類し、それらが「さび」の三つの語源にそれぞれ対応していると考える点にある。「虚実」論、「不易流行」論、そして「本情風雅」論と名付けられた三つの議論は、「さび」の持つ多面性の正体を説明するとともに、それらに通底するものを探る手がかりを与えてくれるのだ。

三つの「さび」

古さがかえって美を生み出すという、極めて逆説的でねじれた美意識である「わびさび」。この概念がどのように成立してきたのかをたどってみると、「わびさび」の「さび」には大きく分けて三つの語源があるということがわかってきた。そして美学者の大西克礼は、松尾芭蕉の弟子たち、蕉門の俳諧論から着想を得て、「さび」の三つの語源がそれぞれ、「虚実」論、「不易流行」論、「本情風雅」論という美学的議論に対応すると考えた。それでは「さび」とは一体、どのような美意識を表しているのだろうか。

その前に少しだけ、「わびさび」の「わび」について補足しておこう。「さび」がどちらかと言えば俳諧の分野でよく用いられる言葉であるのに対し、「わび」は主に茶道で使われる言葉である。そして大西は、俳諧の「さび」と茶道の「わび」とは究極的にはほぼ同一の境地を指すと推定している。ここではその考えに依拠して、「さび」と「わび」そして「わびさび」を、あまり区別せずに議論を進めていくことにする。

まず、「さび」の第一の語源は「殺風景になる」「さびれる」という意味の「荒ぶ（さぶ）」であった。この語源から派生する「さび」は、確かにそのままでも「質素」「淡白」「清浄」という積極的意味を持つこともある。だが、この「さび」の真価が発揮されるのはむしろ、普通なら美を否定するような消極性を帯びている「寂寥」や「貧窮」という意味が、積極的な意味に転化する際である。

俳諧の世界では、消極的な意味契機が「をかしみ」の契機でもあると見る。そもそも「俳諧」という言葉自体が「滑稽さ」を意味するのだから、それはごく当たり前の態度だと言える。今風に言えば、「逆にウケる」といった感じだろうか。この、どこかメタ視点から自己や世界を眺めて面白がるようなあり方を、蕉門十哲の一人である各務支考(かがみしこう)は「あそび」と呼んでいるのだが、蕉門ではよく、虚実の間に遊ぶこと、虚実の自在を得ること、実に居て虚に遊ぶことの重要性が語られる。

大西はこうした「虚実」論を、遊びと真面目、仮象と実在、そして否定と肯定の行き来の問題として捉え、「虚実」論に基づく「さび」から、自己や世界への執着を捨てる自由さと同時に、その間を漂遊する究極的な空虚さ、寂しさを同時に読み取っている。彼は最終的に「さび」が積極的な美意識へと転化することを重視してはいるが、とは言えこの「さび」はかなりアイロニカルな色が強いものだと言える。「あそび」と言いながらもかなりヒリヒリした、命がけの「あそび」を感じさせる「さび」なのだ。

次に「さび」の第二の語源は、「宿」「老」「古」などの漢字を当てる、「年を経てふるびる」という意味での「荒ぶ」である。これは第一の語源から分岐してできた用法であり、ここから派生する「さび」もそのままで積極的意味を持つ時と、消極的意味が積極的意味に転化する時がある。そして当然、より重要なのは後者の場合だ。

この第二の「さび」がそのままで積極的な意味を持つ場合には、古びていく対象に我々が精神的な価値を投影して、円熟や落ち着きを読み取っていると、大西は考えている。つまり、人間の側から古い物に意味を持たせるという操作が行われている。その一方で、対象の老朽廃滅という消極性が、かえってその物の最も重要な本質を浮き彫りにすることがある。人間が物に感情移入するといった小賢しいことを超えて、どうしようもない時の流れの中に永遠なるものがあると気づくというのだ。

句の作り方において、永遠に変わらない部分（不易）と新しい風を求めて移り変わる部分（流行）があり、その二つは究極的には表裏一体であるというのが、蕉風俳諧の中核理念の一つである「不易流行」である。蕉門ではこの考えを天地全体のあり方にまで拡大して用いているのだが、このように壮大な「不易流行」を芸術として表現するためには、超時間的な本質を捉える深く静かなセンスと流動的体験の瞬間性に敏感な軽やかで鋭いセンス、この二つが求められる。そしてそれをバランスよく両立するためには、精神の自由さが要求されると大西は見なす。こうした「不易流行」論から導かれる「さび」は、我々の目には「虚実」論による「さび」に比べるとニュートラルで穏やかなものに映る。

最後に、「さび」の第三の語源は「そのものらしい様子や状態を示す」という意味の「然帯ぶ」であった。大西はこの「然帯ぶ」を「物の本然の性質の発揮」と解釈し、これについてもやはり、そのまま積極的意味を持つ場合と、消極的なものが積極的なものへと転化する場合に分けて考える。ただ、この第三の「さび」においては、積極的意味を直接読み取る方が素直だと言える。「神さび」「秋さび」といった用法のように、「それらしい性質がよく出ている」ことを表す「さび」には、特にひねりを入れるような余地はないように思われる。

しかし、この第三の「さび」にも逆説的な契機を重視する見方が含まれている。それが大西の言うところの「本情風雅」論である。先述の各務支考は、師である芭蕉の「金屏の松の古さよふゆごもり」という句を例にこの理念を説明している。この句の主眼は金屏の持つ暖かみという性質、つまり「本情」を表現することにあるが、それを敢えて松の古さという消極性を帯びた物を通して際立たせようとしている。この美的こだわりが「風雅」だというのである。

消極的な物を通じて逆に物の本質を浮き上がらせようとする「本情風雅」論に基づく「さび」は、ひねりこそ加えられているものの、美的本質というものを楽観的に信じているという点で前の二つの「さび」よりもかなりの程度積極性に傾いていると言えるだろう。これにより、「虚実」論のアイロニカルな「さび」、「不易流行」論のニュートラルな「さび」、そして「本情風雅」論のオプティミスティックな「さび」と、「さび」には三つの様相があることが明らかになってきた。

「さび」は何故複眼の美学となるのか

ところで、大西の「さび」論を整理し分析した田中久文は、この三つの「さび」の共通点に注目して、このように述べている。

これらは、いずれも世界を二重性においてみる、複眼の美学ともいえるものであった。「虚実」論は世界の肯定と否定、「不易流行」論は瞬間と永遠、「本情風雅」論は現象と本質という、それぞれ相矛盾する二つの要素を、いずれか一方に片寄ることなく、相互に対立させたままで、しかも表裏一体のものとして捉えるものである。そしてそれによって、世界はその消極的意味を含み込みながらも、美的積極性へと転化するのである。

田中の言う通り、三つの「さび」はそれぞれ複眼の美学の名にふさわしいものだった。ただ、少しややこしいことを言えば、「さび」という美意識そのものもまた、相矛盾する三つの様相が、どれかに片寄ることなく対立したままで共存するという形をとった、より高度な複眼の美学を示しているのではないだろうか。

しかし、そう言うと何だか聞こえはいいが、単にそれは「意味がぶれている」だけにも見える。確かに、同じ「さび」が、アイロニカルであったりニュートラルであったりオプティミスティックであるというのはどういうわけなのか。その謎を解くヒントは、日本の伝統的な芸術観にある。

矛盾に満ちた生はそのままで美しい

大西はその美学論において、芸術が生活全体と密着しているようなあり方を「パントノミー」的構造、宗教などが芸術を支配しているようなあり方を、「ヘテロノミー」的構造、そして芸術が生活や宗教などの支配から脱してその自律性を獲得するようになり、「芸術のための芸術」になるあり方を「アウトノミー」的構造と呼んでいる。西洋近代社会は「アウトノミー」的構造を持ち、「芸術のための芸術」こそが真の芸術だと見なされるようになった。しかし、本当にそれだけが芸術や美の正しいあり方なのだろうか。田中は大西の議論を敷衍しながら、日本の芸術観についてこう説明している。

西洋においては、芸術が「パントノミー」的構造→「ヘテロノミー」的構造→「アウトノミー」的構造という形で展開し、芸術の自律化が進んだ。それに対して日本では、そこに独自な形での洗練が加わっているとはいえ、時代が降っても「パントノミー」的構造がずっと持続してきたと大西はいう。（中略）柳宗悦（むねよし）は、個性や独創性を重視する西洋の近代芸術を批判し、実用的な工芸というものを芸術の本質と考えた思想家である。そこにはウィリアム・モリスやジョン・ラスキンなどの海外の芸術家・思想家の影響もあるが、ある意味では、日本の「パントノミー」的構造に基づく本来の芸術観に戻ろうとしたものであると考えることもできる。

つまり、日本において芸術や美というものは、我々自身の生活と不可分なものであり、しかもその考え方は太古の昔から連綿と受け継がれたものだということなのだ。柳宗悦が名もなき職人の手による日用の雑器に美を見出し、民藝運動を主導したのは、芸術さえも「進歩」の物差しで測ってしまう、西洋近代という化け物に対する異議申し立てであった。そして、ここで言う生活とは、単に家事のことだけを指すのではなく、我々が様々な矛盾の中でそれでも健気に生きる、その総体のことなのである。

「さび」が矛盾を孕む二つの語源を共存させる複眼の美学となったのは、我々の美意識がぶれているからなのではない。矛盾に満ちた我々の生をそのまま美だと見る時、言葉がどうしてもねじれてしまうからなのだ。そして、芸術という領域を真空のケースに閉じ込めて生から切り離すのではなく、生そのものの中に見る時、美は時の移り変わり、つまり我々の生の移り変わりと共に現れる。「さび」が古びること、滅ぶことと不可分なのは、美もまた生きているからなのである。

柳宗悦はこうした日本的な美意識を「無事の美」と呼んだことがある。生も死も、取り立てて「美化」することはない。「美化」などしなくても、我々の暮らしはただ美しいのだ。蛇足になるが、「暮らし」とは我々の日々が「暮れていくこと」を意味している。「生きる」とは「暮れていくこと」だなんて言えば、さすがに「わびさび」が過ぎるだろうか。

第12章　教育とアナロジー

デジタルとアナログ

皆さんは「デジタル」という言葉を聞いて、どのような印象を抱くだろうか。少し考えてみただけでも、「デジタル技術」「デジタル時計」「デジタル放送」など、我々の周りには「デジタル」が氾濫しているわけだが、普段はその意味を深く吟味することもなく、先端的で優れていることを指していると、ぼんやり思っている人も多いのではないだろうか。中には「デジタルパーマ」のように、何がどう「デジタル」なのかよくわからないままに広まっているものもある。ヘアスタイルが「デジタル」とは一体どういうことなのか。

とにかく、コンピューターとインターネットが普及した現代においては、「デジタル」は高度な技術の代名詞としての地位を確立している。そのため、あらゆるものの「デジタル化」が喫緊の課題として語られ、これに対応できないことは時代遅れで社会的損失につながるという風潮すらある。こうなってくると「デジタル」に付与された正の価値は反転し、冷たくて無感情で高圧的というイメージも生まれてくる。実際、ご年配の方を中心に、「デジタル」と聞くともうそれだけで苦手意識が出てしまうという人も多いのではないだろうか。

そうだとすると、「デジタル」の対義語である「アナログ」にも、ちょうど裏返しになったような形で正と負の両方のイメージが結びついていると言うことができる。つまり、時代遅れで技術的に劣っているというネガティブなイメージがあるのと同時に、懐かしさや温かみを感じさせるという好意的なイメージもまた、「アナログ」という言葉は連想させるのだ。

例えば音楽の領域では、高音質のデジタル音源をネットワークを介して気軽に配信できるようになったことで、同じデジタル音源を扱う記録媒体であるCDの存在意義は完全に薄れてしまった。しかしそれとは対照的に、昔ながらのレコード、つまりアナログレコードの需要は、CD全盛の時代に比べてむしろ高まっていると言われている。

ビニールでできた円盤に針を当てて音を出すという、原理としては蓄音機の時代から変わらない方法を用いているアナログレコードは、ホコリや静電気、そして盤面自体の傷などに起因するノイズとは無縁ではあり得ない。音質面に明らかな弱点を抱えているにもかかわらず、アナログレコードはジャケットなども含めたグッズとしての魅力だけでなく、そのノイズ混じりの音そのものに対しても好意的な評価を受けることが少なくない。

「レコードの音が懐かしい」「デジタル音源にはない温かみがある」「いや、実はアナログの音の方がデジタル音源よりも優れている」など、評価の理由は様々でありここでその是非を問うことはできないが、とにかくこの「デジタル」優位の時代において「アナログ」がダメとは限らないということをこの例は示している。

連続的な量か、離散的な数値か

と、ここまで「アナログ」と「デジタル」にまつわる印象について長々と述べてきたが、何故このような印象が生まれてくるのか。それを知るためには、結局のところこの二つの概念が何を表しているのかを確認しておかなければならないだろう。

「アナログ」と「デジタル」を区別する上で最も重要な基準は、それが連続的な量を用いるか離散的な数値を用いるかにある。先述の音楽を再び例に挙げて説明しよう。音楽とは一定の時間に渡って持続する音の波の集まりであり、ある種の連続した量と見なすことができる。これを記録したり表示したりする際に、音が作り出す振動をレコード盤に直接刻みつけるのが「アナログ」であり、周波数の山や谷を数値に置き換えてしまうのが「デジタル」という方式である。音楽という連続的な量を、レコードの溝というこれまた連続的な量によって再現しようとするのか、離散的、つまりバラバラな数値によって構成されたデータに変えてしまい、そのデータの機械的な処理によって再現しようとするのかが、両者を分ける根本的な相違点だと言える。

音楽の例でわかりにくければ、手足のサイズを測る時のことを考えてみて欲しい。この場合、石膏などで型取りをするのが「アナログ」で、縦・横・高さなどの数値を測定しておくのが「デジタル」である。手足の型があれば、そこに粘土などを流し込むことによって実寸大の手足を再現する作業は容易であり、爪や毛の形のような繊細なニュアンスまで表現できる。その一方で、縦が何センチで横が何センチだと言われても、その手足がどのような形をしているのかを思い浮かべることは難しい。また、爪や毛のデータまで事細かに記録しておかなければ、それはまるでなかったことにされてしまい、単に手足の大きさの情報だけが残ることとなる。

しかし、石膏で取った型は時間が経つにつれて摩耗や変形をしてしまい、最悪の場合壊れてしまう。「アナログ」は情報量と表現の豊かさを誇る反面、再現性に乏しく劣化しやすいという性質を持っているのである。対して「デジタル」の方はどうかと言うと、ただの数値の寄せ集めではあるが、ひとたびそのデータが取られてしまえば何度でも同じように再現することが可能である。後はデータのサンプル数を増やし、離散的な数値を連続的な量に再変換するための技術を向上させれば良い、ということになる。余談ではあるが、冒頭で紹介した「デジタルパーマ」はその別名を形状記憶パーマとも言い、他のパーマより持ちが良くスタイリングをキープしやすいという特徴がある。要するに、劣化しにくく再現性が高いから「デジタル」と呼ばれているらしい。厳密に言えば「デジタル」そのものではないが、意外にちゃんとした理由があったのだ。

そんなことはさておき、我々が忘れてはならないのは、何かの量を別の何かの量に置き換えて表現する「アナログ」と、何かの量ではなく抽象的な数値に変換する「デジタル」は、あくまでそれぞれに一長一短があって、どちらかが一方的に優れていてどちらかが絶対的に劣っているというのではないということだ。また、「デジタル」は必ずしもコンピューターのような高度なテクノロジーを意味しているのではなく、あくまで演算の得意なコンピューターが「デジタル」という方式と相性がいいというだけなのである。

ただ、現代という時代がこうも「デジタル」礼賛一辺倒になってしまうと、「アナログ」が懐古趣味を満足させるためだけの単なる余技的なものだと見なされてしまうのも無理はない。そのような誤解を払拭するためにも、「アナログ」は懐かしさや温もりをイメージさせるという表面的な理解を超えて、その根底にある思想を取り出さなければならないのではないだろうか。アナログレコードに愛着を覚えるとか、石膏で手足の型を取った方が味わい深いという感覚だけに留まらない、「アナログ」という方式を敢えて採用すべきだという判断に根拠を与えるような考え方が今、求められているのではないだろうか。

数値が正しいと思わない知

その思想のことを、ここではひとまず「アナログの知」と呼ぶことにしよう。それではその「アナログの知」とは一体どのようなものなのか。それは簡潔にまとめるならば、コミュニケーションにおいて必ず「もの」を介在させる知のあり方であり、数値に変換されたデータを「正確な知識」だと思い込まない態度だと思われる。ここで言う「もの」とは、無機質な物体のことだけではなく、我々の身体も含んでいる。「アナログの知」はこれらの「もの」を通じた知の伝達を、克服すべき不完全なものとしてではなく、むしろ人間の生にとって不可欠なものだと捉える。これは「もの」への偏愛ではない。もっと現実的で、実践的な観点から導き出される思想である。

そして、「アナログの知」が「もの」を介在させることを重視する裏側には、この世界のリアリティが数値に変換されることへの強い警戒心が存在している。これもまた単なる情緒的な反感などではない。数値化されたデータは、あくまで再現性に優れているだけで現実そのものを正確に写し取っているわけではない。それにもかかわらず、日頃「デジタルの知」に浴している我々は、ついうっかり数値を「正確な知識」と混同してしまう。「アナログの知」が問題視するのはまさにこの点なのである。「アナログの知」には、我々のこうした危険な思い違いを戒める役割があるのだが、「アナログ」も

「デジタル」同様、現実の正確な反映などでは決してない。それならば何故、「アナログの知」は「デジタルの知」とは異なり、自分が得た情報を「正確な知識」と誤解せずに済む処方箋となるのだろうか。その理由を考える上で極めて示唆的なのが、現代の学校教育が抱える問題とその改革案についての議論である。

幼小中「混在」校という極めてユニークな教育機関である「軽井沢風越学園」の共同発起人を務めるなど、精力的な活動で知られる教育哲学者の苫野一徳は、『「学校」をつくり直す』の中で、現代日本の公教育が抱える問題の本質を一言で簡潔にまとめている。それは「みんなと同じことを、同じペースで、同じようなやり方で」という思想で学校が運営されてきたということである。苫野はこうした「ベルトコンベヤー式のシステム」が近代化を目指す時代においては十分に機能したことを認めつつ、現代においてはその限界が露呈しているという。そして、日本の教育システムの改革は諸外国に比べて周回遅れの感があると批判している。

彼はこのような状況を克服するためのアイデアとして、「学びの個別化・協同化・プロジェクト化の融合」を提唱しているのだが、その中核となるのが「探究」という学習方法である。つまり、子どもたち自身が「自分（たち）なりの問いを立て、自分（たち）なりの仕方で、自分（たち）なりの答えにたどり着く」ことを重視するということである。教師はその際、生徒たちの「共同探究者」「探究支援者」になる必要があるのだが、苫野は興味深いことに、教師は生徒たちが立てた問いの「答え」を知らなくてもよい、それで全く問題ないと述べている。教師が生徒たちの「探究」に協力し、その学びを支えるのはわかるとして、「答え」を知らなくても問題ないというのはどういうことなのか。実はそこにこそ、「アナログの知」が人間の生、特に教育という営みにとって重要な意味を持つということのヒントが隠されているのだ。

「アナログの知」とアナロジー

我々はしばしば、数値化されたデータこそがこの世界についての「正確な知識」なのだという思い違いを起こしてしまう。こうした思い違いを誘発してしまう思考のあり方のことを「デジタルの知」と呼ぶとするならば、それに対して、現実を写し取る方法としては限界があることを承知の上で、それでも敢えて「もの」を介してこの世界を知ろうとする思考は「アナログの知」ということになるだろう。そして、「アナログの知」は、「正確な知識」を得たという傲慢な誤解を避けつつ、「デジタルの知」にはできないコミュニケーションを可能にしてくれる。

教育哲学者の苫野一徳は、自身が提唱する「探究」を核とした学校教育の改革案において、教師は子どもたちが立てた問いの「答え」を知らなくてもよいとまで言い切っているのだが、これなどまさに「アナログの知」が教育の現場において極めて有効、いやむしろ不可欠だということを示している。しかし、それは一体どういうことなのか。「アナログの知」と教育の関係を詳しく見ていく前に、「アナログの知」の前提となっている考え方について説明しておく必要があるだろう。

まず、「アナログの知」と名づけられた思考は、ある重要な論理に基礎づけられている。それはアナロジーである。アナロジーとは通例、「類推」または「類比」という日本語で訳されるのだが、簡単に言うと、未知の何かを理解する際にそれと類似した既知の何かと比べて推し量ることを意味している。例えば、あなたが過去に犬を飼ったことがあるとして、新たに猫を飼うことにする時、きっとあなたはほとんど無意識のうちに、犬を飼ってきた経験に照らし合わせながら猫の世話の仕方を考えるに違いない。それは、猫を飼うという未経験の事態が犬を飼うという経験済みの行為と似ている、つまり何らかの共通性を持っていると仮定して、そこから類推しているからである。

このような例にかぎらず、我々の思考や言動にはアナロジーがつきものである。おじさんの上司が会社組織をいちいち野球チームにたとえてくるのも、「失敗は成功の母」ということわざに「母」という隠喩が含まれているのも、そして実際に相手を殴るわけではないのに批判するという意味でも「叩く」と表現したりするのも、これらは全てアナロジーの一種である。我々はアナロジーを用いることなしに生活を送ることなど不可能だとさえ言えるだろう。

アブダクションとしてのアナロジー

それにしても、何故アナロジーはこれほど我々の生活に密着しているのだろうか。結論から言うと、それはアナロジーが極めて役に立つ思考方法だからである。ビジネス・コンサルタントの細谷功は『アナロジー思考――「構造」と「関係性」を見抜く』の中で、ビジネスにおけるアナロジーの目的は大きく分けて「自分の理解」「他人への説明」「アイデア創出」の三つだと述べている。前の二つについては詳しい説明は要らないだろう。アナロジーは未知のことをより早く理解したり、聞き手によりわかりやすく伝えたりする時に大きな威力を発揮する。しかし、これらの効用に劣らないどころか、ひょっとするとそれ以上に重要だと言えそうなのが、三番目にある「アイデア創出」のためのアナロジーである。

細谷はチャールズ・パース研究で知られる米盛裕二の解説に依拠しながら、パースが提唱したアブダクションという概念に言及している。科学的推論は、分析的な推論である演繹（ディダクション）と、拡張的な推論である帰納（インダクション）の二つに分けられるのが一般的だが、パースはそれに加えて、もう一つの拡張的な推論であるアブダクションが存在すると主張した。帰納が経験から一般化を行うのに対し、アブダクションは科学的な仮説や理論を発案し発見を行う推論だと言うのである。

アブダクションは仮説に基づく「厳密でない推論」であるため、演繹や帰納と比べると可謬性が高く論証力が弱い。つまり、デタラメな議論を展開してしまう恐れがある。それにもかかわらず、いや、むしろそれだからこそ、アブダクションは既存の推論にはない豊かな創造性と発想力を備えている。細谷は、アナロジー思考とはこのアブダクションに相当しており、厳密性が求められる議論においては論理の飛躍につながる危険性も持ちながらも、複雑な事象を理解する際や新たな発想を導く際には有効な手段なのだと述べている。

既知と未知の間に構造的類似性を見抜いて仮説形成を行い、創造的な発見を可能にするアブダクションとしてのアナロジーは、当然のことながら、科学研究やビジネスだけでなく我々の生活のあらゆる領域で重要な役割を果たしている。その典型が学校教育の現場である。そもそも学校とは、生徒たちが学び、教師たちが教える場所であり、細谷が言うところの「自分の理解」と「他人への説明」がこれほどまでに要求される空間は他にはないだろう。その意味でも、学校教育においてアナロジー思考が有効なのは明らかである。

実際、アナロジーを教育のツールとして具体的に活用する方法の研究は既に進んでいるという。「理解」と「説明」のためのアナロジーが教育の実践と深く関わっているという議論は、もはやそれほど目新しいものではない。しかし、「アイデア創出」のためのアナロジーが教育に対して持つ意義について は、正当な評価が与えられているとは言えないのではないだろうか。というのも、我々は教育、特に学校教育のことを、何らかの情報を受け取ったり与えたりするだけの営みだと思い込み、学校が持つクリエイティブな機能を見逃してしまいがちだからである。

「自由」な「探究」を育む

苫野一徳が公教育の現状に警鐘を鳴らし、新たな教育システムへの転換を唱導しているのも、学校が本来持つはずのクリエイティブな力を活性化しなければならないという認識に基づいているように思われる。彼は、公教育とは全ての子どもたちが「自由の相互承認」の感度を育むことを土台に、「自由」に生きるための力を育むことを一番の本質とするものだと述べている。そして、「みんなで同じことを、同じペースで、同質性の高い学級の中で、教科ごとの出来合いの答えを子どもたちに一斉に勉強させる」現在の学校教育のシステムは、「自由の相互承認」を実質化するものになっていると言えるだろうかと疑問を呈している。

彼の言う「自由」は、単に個々の子どもが好き勝手に振る舞うことを意味しているのではなく、むしろ、子どもが自らを取り巻く様々な問題を大胆な発想を駆使して解決していくという、ある種の創造性を持つことを指している。「自由」であるとはクリエイティブであるということであり、「自由の相互承認」とは子どもたちがお互いのクリエイティビティを認め合い尊重するということなのである。学校はそんな子どもたちの創造的な「自由」を育みサポートする場でなければならない。

苫野はこうした認識の下、「探究」という学習方法を中核に据えた「学びの個別化・協同化・プロジェクト化の融合」を目指しているのだが、ここで興味深いのは、先ほど紹介したパースのアブダクションに関する議論は「探究の論理学」と呼ばれることがあるという事実である。アブダクション、そしてアブダクションとしてのアナロジーが「探究」と内的に結びついているのは単なる偶然ではない。「探究」を成功させるためには、アナロジー思考による仮説形成が不可欠なのである。そもそも、パースが現代の教育学に多大な影響を与えたジョン・デューイと並び、アメリカ発の哲学であるプラグマティズムの代表的思想家であることを考えれば、アブダクション（としてのアナロジー）が教育においても有用なのは当然だと言える。

しかし、子どもたちが知的に成長するためには「自由」な発想を育む必要がある、というだけならば、別にアナロジーがどうだのアブダクションがどうだのという面倒な議論を持ち出す必要はない。それでも敢えて「探究」をアナロジーと関連づけて論じる理由、それはアナロジーは可謬性が高い、つまり必ずしも「正しい」推論とは限らないという点にある。

「もの」を介して「可謬」のプロになる

苫野は、教師は子どもたちが立てた問いの「答え」を知らなくてもよいと述べると同時に、これからの教師は「共同探究者」であり「探究支援者」になる必要があるとも述べている。つまり、先生はあらかじめ「答え」を持っている人である以上に、生徒が自らの立てた問いの「答え」を探す時に頼ることのできる「探究」のプロでなければならないということである。しかし、問題を発見し解決する「探究」のプロであるということは、その本人もまた「正しい」とは限らない仮説を形成しながら、論理の飛躍を犯すことも恐れず創造的な発想を展開することのできる、「可謬」のプロでもあることを意味するのではないだろうか。

ここでようやく我々は、アナロジーそのものから一歩進んで、それに基礎づけられたより特殊な思考である「アナログの知」が教育においてどれほど大切なのかを確認することができる。「アナログの知」は「もの」を介して世界を知る思考だと説明しておいたが、ここで言う「もの」とは数値化されたデータではないものの総体であり、そこには生身の人間も含まれている。子どもたちは教師という可謬的で限界のある「もの」を介して学ぶことによってこそ、「正しい」ことに囚われない創造性を伸ばすことができるのである。

先生は確かに「正しい」とは限らない。しかし、数値化されたデータ、教科書に載っている出来合いの情報もまた、「正しい」とは限らないのだ。それよりも重要なのは、先生が実は自分と類似した「もの」であると子どもたちが気づき、そこから自分も仲間も皆が「もの」になり得ること、それも「探究」と「可謬」のプロであるような「もの」になり得ることを発見できるかどうかなのである。

苫野が共同発起人を務める「軽井沢風越学園」は、幼稚園と小学校と中学校が融合した「混在」校なのだという。年齢も成熟度も異なる「もの」たちが集う学び舎は、「アナログの知」を育むのに格好の場だと言える。だからと言って、その学校のあり方がこれからの教育の「正しい答え」である必要はない。我々は絶えず生身の人間たちと触れ合いながら、自分たちなりの「問い」を見つけていくべきなのだ。

Ⅲ　思想にふれる、思想を生きる

友達が買ってもらったゲーム機、自分もほしい……。しかし、「よそはよそ、うちはうち」（第15章　倫理とトートロジー）

第13章　信仰とバイオロジー

生物それぞれの「生きる論理」

日本の動物行動学の第一人者でありエッセイの名手でもあった日高敏隆は、晩年の文章でこのようなことを書いている。

動物であれ、植物であれ、菌類であれ、すべての生きものはみなそれぞれの種の「生きる論理」をもっている。その論理の多様性が地球上の生物のこのすばらしい多様性を生んでいるのだと考えることができる。

生物の一種である人間も、当然、人間独自の論理をもっている。誤解を生まぬようあえてつけ加えておけば、これは人間だけが論理をもっているということではなく、人間もまた生物の一つとして、他のあまたの生物と同じく「生きる論理」をもっており、その論理が他の生物たちの「生きる論理」とちがっているということである。

これを読んですぐに目を引くのは、日高が生物のあり方や生存戦略に対して用いた「生きる論理」という表現の面白さである。人間だけが論理性を備えて生きているのではない、全ての生物がそれぞれ固有の論理によって生きてきたのだという考え方は、生物学の中でも特に生物の「行動」や「性格」に着目する動物行動学者らしい視点だと言える。ちなみに動物行動学は英語ではエソロジーというが、これは何も対象を動物に限ってはおらず、植物や微生物なども含めた生物一般の「気質（エートス）」を探究する「学問（ロゴス）」である。日本語では動物行動学と訳されて定着しているが、本来は生物行動学と呼ぶべきだったのかも知れない。

とにかく、日本を代表するエソロジストである日高もまた、生きとし生けるものすべてを念頭に「生きる論理」について語っているわけだが、重要なのはこの「生きる論理」が極めて多様であり、それぞれが異なっているということを強調している点である。彼は、「生きる論理」が異なるものがいかに異なる「世界」を生きることになるかを、別のエッセイでモンシロチョウと人間の色覚を例にとって説明している。

モンシロチョウは外界を認知する際、色によってそれらが自分にとってどんな意味を持つかを判断している。つまり、モンシロチョウは色覚中心の「世界」を生きている。緑色は植物、つまり食物や交配相手がいる可能性の高いところ。それ以外の色の多くは、普通なら自分たちにとって意味がないからさっさと遠ざかるところだが、淡い黄色と紫外線が混ざった色はモンシロチョウのメスの羽という意味を持つ。つまり、モンシロチョウのオスにとってメスとはあくまで「その色をしたもの」なのであり、どんな形でどんな匂いがするかは基本的に関係がない。その色があるところにはとにかくいち早く飛びつくのである。

こう聞くと、モンシロチョウの「世界」などと大げさに言っても、それは人間よりも劣った、痩せた「世界」ではないかと思う人もいるだろう。しかしよく考えて欲しい。モンシロチョウのオスには特別な色に見えているメスの羽は、我々の目にはオスの羽と同じ色にしか見えない。それは何故か。我々人間には紫外線が見えないからである。我々の目には見えない「世界」を見ているのである。一方、モンシロチョウは赤が見えない。モンシロチョウの「世界」には赤い花はない。どちらの色覚が優れていて、どちらの「世界」が豊かなのかという話ではない。モンシロチョウと人間はたとえ同じ空間で生活していても全く違う「世界」を経験しているのであり、その差を生み出すのがそれぞれの「生きる論理」なのだ。

自己・時間・存在を喪失させる「死」

しかし、このように生物たちの「生きる論理」の多様性と相対性を説きながらも、それでもやはり人間の「生きる論理」は他の生物たちの「生きる論理」とは異なり、ある悩みの上に成り立っているように見えると日高は言う。つまり、人間が「死」を発見してしまいそれを言語化された概念として認識してしまった結果、現実としての「死」だけでなく概念としての「死」の恐怖にも対処しなければならなくなったという悩みである。言われてみればこれは当然のことだろう。植物や菌類はともかく、多くの動物も殺されることに対する恐怖は感じるらしいのだが、彼らは概念としての「死」を前もって知っているわけではない。その瞬間の恐怖に怯えているだけだ。人間は違う。我々は何らかのタイミングで、自らがいつか「死」を迎えるものだと知ってしまい、それを知った状態で生きなければならなくなったのである。

先ほど、我々は自らがいつか「死」を迎えるものだと知ってしまったと書いたが、むしろ「死」を知ったことにより我々は「自ら」と「いつか」と「もの」、つまり「自己」と「時間」と「存在」という概念を同時に知ったのだろう。そしてその三つの終わりを意味する「死」に対して、耐え難い恐怖を覚えることになった。その恐怖を克服するために、人間は「死」から逆算的に自らの「生」について再考し、それを新たに意味づけ直す必要に迫られた。これが人間の「生きる論理」にとって大きな変更を意味したのは間違いない。モンシロチョウがそうであったように、他の生物の「生きる論理」も確かに人間とは異なるユニークさを持っていたが、そこから導かれる「世界」はあくまで色覚などの知覚の枠に留まるものだった。人間は「死」の概念と出逢うと同時に、知覚の枠を超えた「世界」を自覚的に構築するようになったのだ。しかし、そのような「世界」を自覚的に作り出してしまう「生きる論理」は、到底他の生物たちのそれと同列に語られるようなものではない。

要するに、人間も生物の一種である以上、他の生物たちが各々持っている「生きる論理」も持ちつつ、明らかにそこから逸脱した「生きる論理」も併せ持つことになったのだ。もちろん、「死」という概念を知るほどの高度な知的能力も、生物としての進化の過程で得られたものではあるのだから、後者は前者と地続きには違いない。しかし、そこには明らかな飛躍がある。敢えて人間の「生きる論理」を二分するならば、前者は生物種の一つであるヒトとしての、後者は「死」を知る人間としての「生きる論理」と考えることができる。ここでは便宜的に前者を「ヒトの論理」、後者を「人間の論理」と呼ぶことにしよう。ちなみに、イタリアの思想家アガンベンによると、古代ギリシャには人間の生の動物的な側面を「ゾーエー」、社会的な側面を「ビオス」と区別する考え方があったとのことだが、それに倣うならば「ヒトの論理」とは「ゾーエー」に関する論理であり、「人間の論理」は「ビオス」に関する論理だと言うこともできそうである。

二重の「論理」と「信仰」

我々は「ヒトの論理」と「人間の論理」という、分裂した二重の「生きる論理」を生きている。「ヒトの論理」はある意味では唯物論的である。それは物質の組み合わせによって説明されるもので、そのことはモンシロチョウだってミミズだってオケラだってアメンボだって何の違いもない。それに対して「人間の論理」は明らかに観念論的だ。何故生きているのか、どう生きるべきなのか、そもそも生きるとは何なのか。モンシロチョウは自己の生きる理由など問わない。ミミズは時間を計算していつまでにどう生きるかのスケジュールなど立てない。オケラは生きるとは何か、存在とは何かなどと悩んだりはしない。アメンボには今度また聞いておくことにするとして、とにかく「人間の論理」は、「死」を知り、「死」を前に恐怖し、「死」を何とか克服したいもの特有の、頭でっかちな論理なのである。

他の生物は概念としての「死」を知らない。彼らにとっての「死」は現実としての「死」だけであり、それはあまりにも突然やって来る。しかし、現実としての「死」が突然やって来るのは生物としてのヒトだって同じである。つまり、「ヒトの論理」はサドンデス（突然死）を前提にした論理なのだ。そうだとすると、「人間の論理」はドント・ワナ・ダイ（死にたくない）を前提にした論理だと言える。概念としての「死」を知る人間は、どうしようもない現実としてのサドンデスを前提にした「ヒトの論理」だけでは生きていけない。だからドント・ワナ・ダイという心の叫びに応えてくれる「人間の論理」によって、「ヒトの論理」を乗り越えようとしてきた。そして多くの場合、「人間の論理」は

「死」の否定、拒絶、克服のために様々な思想を生み出してきたのだった。

宗教や哲学は、まさにこうした「人間の論理」によって生み出された知的営為だと考えることができる。我々は「死」の恐怖を何とかするために、絶対、超越、不滅などの存在を信じ、自分たちの「死」が究極の終わりなどではないと考えようとしてきた。普段は「自分は特定の宗教や哲学とは無縁だ」と思っている人も、生きる意味について考え、生きてきた証を残そうとするならば、「人間の論理」に基づいて生きていると言えるだろう。また、宗教や哲学から切り離され、自らを価値中立的な知だと自認する近代科学でさえも、「生」をできる限り拡大しようとする意味では「人間の論理」の延長上にあることに変わりはない。

「死」を超えた何らかの価値を信じる、こうした「人間の論理」に基づく態度を、非常に乱暴ではあるがまとめて「信仰」の立場だと呼ぶとすると、「信仰」は原則として「人間の論理」で「ヒトの論理」を無化しようとすることでもある。バイオテクノロジーや再生医療が不老不死を目指していることを見れば、科学だけがこうした「信仰」と無縁の知だなどとは決して言えないことがわかる。ドント・ワナ・ダイという願いを追求することでいつかはサドンデスという現実を克服できるはずだ、いや、克服できないなんて絶対に嫌だ。我々はそう思ってきたからこそ、科学と医療の無限の可能性に賭けてきたし、それらを信じてきたのだ。

しかし、本当にそれでいいのだろうか。「死」を恐れるあまりに「人間の論理」で「ヒトの論理」を無化しようとする道を選ぶことしか、我々には残されていないのだろうか。実は、「死」を否定することも拒絶することもせず、「人間の論理」を「ヒトの論理」にできるだけ近づけようとする、特殊な

「信仰」の形もあり得るのではないだろうか。ドント・ワナ・ダイと声高に叫ぶのをやめて、サドンデスを生きる、そんな「信仰」が。

「人間の論理」で「ヒトの論理」を乗り越える

あらゆる生物に備わっている、多種多様にして生成発展を繰り返していく「生きる論理」。人間もまた生物の一種である以上、こうした「生きる論理」を持っているわけだが、人間だけは自らがいつか「死」を迎えるということを知ってしまったため、二重の「生きる論理」を抱えることとなった。つまり、生物として避けようのない現実であるサドンデス（突然死）を前提にした「ヒトの論理」と、概念としての「死」の恐怖を何とか処理しなければならないという、ドント・ワナ・ダイ（死にたくない）という思いを前提にした「人間の論理」である。そして、こうした「人間の論理」は「死」の否定、拒絶、克服を目指して、宗教や哲学、科学などを生み出してきた。

「死」を超えた価値の存在を信じようとする、こうした知的営為を全てひとまとめに「信仰」と呼ぶならば、我々は皆何らかの「信仰」によって「死」の恐怖から逃れようとしてきたと言うことができるし、それは「人間の論理」によって「ヒトの論理」を何とか無化しようとする試みだと見なすことができる。サドンデスは嫌だ、ドント・ワナ・ダイ。しかし、「死」を否定しようとする「信仰」の立場は、逆説的に多くの「死」を招いてきた。宗教戦争やイデオロギー対立が人類の歴史を血塗られたものにしてきたことを全く知らないという人はいないだろうし、近代科学が人類に大いなる恩恵を与えてきた一方で恐るべき災禍をもたらしてきた事実も無視することはできない。また、近年のバイオテクノロジーや再生医療の発達は、かつてないほど我々から「死」を遠ざけることに成功しているように見えるが、これほどの健康と長寿を享受しているにもかかわらず人間は「死」を克服するどころか「死」をますます恐れ、それと同時に「生」に振り回されている。我々は「死」にまつわる悩みを解消するどころか、より深い悩みの世界へと迷い込んでいるかのようだ。

「信仰」とは「死」を超えた価値の存在を信じようとすることだと先に述べたが、多くの場合、「信仰」にすがる人々はその何らかの価値に自分たちが触れることができることを信じようとする。人間が何らかの意味で「死」を超えられる、単なる動物以上の特別な存在なのだと思いたがる。「人間の論理」で「ヒトの論理」を乗り越えようとする「信仰」は、その意味で極めて人間中心主義だと言うことができる。しかし、「信仰」とは果たして人間中心主義などという言葉で説明し尽くせるような、つまらない営みなのだろうか。そして、人間中心主義を掲げておきながら、「死」の恐怖を克服するどころかますます「死」に囚われる人間を生み出してしまう「信仰」とは何なのだろうか。

自分が自己矛盾的な存在であること

日本を代表する哲学者として名高い西田幾多郎は、その最晩年の論文「場所的論理と宗教的世界観」の中で、宗教とは何か、宗教心とは何かについて論じている。

宗教の問題は、価値の問題ではない。我々が、我々の自己の根柢に、深き自己矛盾を意識した時、我々が自己の自己矛盾的存在たることを自覚した時、我々の自己の存在そのものが問題となるのである。人生の悲哀、その自己矛盾ということは、古来言旧された常套語である。しかし、多くの人は深くこの事実を見詰めていない。何処までもこの事実を見詰めて行く時、我々に宗教の問題というものが起って来なければならないのである（哲学の問題というのも実は此処から起るのである）。

西田は「宗教の問題」も「哲学の問題」も同じところから起こってくると言っているが、これは今までの議論における「信仰」に関する問題だと考えることができる。そうだとすると西田は「信仰」は価値の問題ではないと言っていることになる。「信仰」とは「死」を超える価値を信じることだととりあえず定義してきたこちらの側からすると、これはかなり意外な主張である。彼からすれば、宗教も哲学も少なくともその初発の段階では価値がどうのという問題ではないということなのだ。

しかし、よく考えてみればそれは当たり前のことなのかも知れない。「あなたは神を信じますか？」と問われて「イエス」と答え、教えに従って真面目に生きているだけでその人は宗教心があると言えるならば、誰だって簡単に宗教心を持ったり捨てたりできることになるだろう。また、ソクラテスを気取って無知の知を説いたりしても、それは哲学者ぶっているだけであって別に哲学をしていることにならないだろう。何らかの価値を信じることは結果として要請されて出てくるものであって、「信仰」が生まれるのは価値を信じたからではない。そうではなくて、自分が自己矛盾的な存在であるという事実を自覚する時にこそ、「信仰」の問題は現れるのだ。それでは、自分が自己矛盾的な存在であるという事実とは、そしてそれを自覚するとはどういう意味なのだろうか。

西田によると、それは我々人間が「死の自覚」を持つことにあるという。しかし、彼は誤解を避けるために、この自覚の内容について順序立てて説明していく。まず、永遠に生きるものはなく生物はいつか死ぬから、生物である自分自身もいつか死ぬ、というような意味で「死の自覚」と言っているのではないという。これは自己を対象化し、物として、肉体的生命として見ているだけの一面的な見方である。日高敏隆の言い方を借りれば、「死」という概念を発見し認識した状態に留まる見方だと言えるし、生物の「生きる論理」の延長上にある「ヒトの論理」を外側から対象として捉えただけの立場であろう。

「生きる論理」の絶対矛盾

次に、人間は肉体的には死んでもその精神的なもの、例えば理性は生き続けるという風に考えることがあるが、そもそも精神だとか理性という一般的なものは生きたものとは言えず、実際に生きる自分はどこまでも独立した個として一般を否定する非合理的な側面を持つ。西田はこれを「デカルト的自覚」と表現しているのだが、この自覚もまた「死の自覚」とは呼び得ない。理性を持つ自己によって「自己があること」は考えられても、それがどのように「死」と結びついているかを考えているわけではないからだ。理性的な自己の自覚はこれまで論じてきた「人間の論理」の典型であり、「人間の論理」はそもそも「死」から逃れようとしてきたのだから、どんな洗練された形をとろうとも「死」を直視することはないということであろう。

それでは、西田が考える「死の自覚」とは何なのか。そして、それは何故自己矛盾的存在としての自己の自覚と同義なのか。西田はこう述べている。

自己の永遠の死を自覚するというのは、我々の自己が絶対無限なるもの、即ち絶対者に対する時であろう。絶対否定に面することによって、我々は自己の永遠の死を知るのである。しかし単にそれだけなら、私はいまだそれが絶対矛盾の事実とはいわない。然るに、斯く自己の永遠の死を知ることが、自己存在の根本的理由であるのである。何となれば、自己の永遠の死を知るもののみが、真に自己の個たることを知るものなるが故である。それのみが真の個である、真の人格であるのである。（中略）而して斯く自己が自己の永遠の死を知る時、自己の永遠の無を知る時、自己が真に自覚する。そこに自己があるということは、絶対矛盾でなければならない。

つまり、我々は死すべき存在であること、それも一度死ぬともう二度とこの生を繰り返すことはなく無へと帰っていく存在だということを徹底的に自覚させられることによってのみ、我々はかけがえのない自己であることを知ることになる。しかし、かけがえのない個としての自己は絶対的な否定である「永遠の死」を約束されている。そこにどうしようもない自己矛盾があると西田は言いつつ、その自己矛盾を見つめることから宗教や哲学、つまり「信仰」の問題が出てくると言っているのだ。西田に即して「信仰」を捉え直すならば、「人間の論理」によって「ヒトの論理」を無化することではなく、むしろ「ヒトの論理」の根本的な自覚によって「人間の論理」を無化することで、我々は本来的な「信仰」を抱くことになる。

だが、「ヒトの論理」の根本的な自覚とはそもそも人間以外の生物にはあり得ない境地であった。人間以外の生物は「永遠の死」など知る由もない。人間だけが、自己に定められたサドンデスの運命、「ヒトの論理」を生きていることを知るのであり、それは「人間の論理」を待って初めて可能になる境地である。だから西田の言う絶対矛盾とは、「人間の論理」が「ヒトの論理」を根本的に自覚することによって「人間の論理」自体を無化するという点にある。ドント・ワナ・ダイという心の叫びがサドンデスという事実を受け入れ、ドント・ワナ・ダイと叫ばなくなるまでのプロセス。しかし、サドンデスを受け入れるということ自体が、ドント・ワナ・ダイという心あってのものだというミステリー。人間の底には絶対矛盾にして永遠の無が横たわっている。それを本当にわかることが、西田にとっての「信仰」なのだ。そして、その「信仰」の立場において初めて、人間は自己矛盾的に絶対と永遠とも繫がっている。

「生と死は対立的ではなく、表裏一体の現象だ」という、いかにも気の利いた風な物言いは決して珍しいものではないし、「死中に活を見出す」と言えば何やら深遠な奥義の存在を思わせる。しかし、人間という生物に与えられた「生きる論理」とは、要するに生に執着するでもなく、生き急ぐでもなく、ちゃんと死ぬことのように思われる。

そう言えば幼い頃、親に「遊び終わったら、おもちゃを出しっ放しにしないでおもちゃ箱にしまいなさい」とよく怒られたものだが、「信仰」とは本来、出しっ放しにしたおもちゃのような「生きる論理」を最後にはちゃんとしまう、「おしまい」にすることを肝に銘じることなのではないだろうか。

第14章　正義とパソロジー

早期臨床実習と医療の三本の柱

北海道の病院に勤務する現役医師であり、ＳＮＳ上では「病理医ヤンデル」の異名でも知られる市原真は、その著書『いち病理医の「リアル」』の中で彼が医学部一年生の頃に受けた実習でのエピソードを紹介している。それは早期臨床実習という名前の院外実習で、学生たちは医学についての勉強などまだほとんどしていない段階にもかかわらず町中の病院へと送り出される。当然のことながら、素人同然の学生たちにできることはほとんどないため、医師や看護師の後をついて回り患者をぼうっと眺めたりするだけで、市原曰く「小学生がやってる社会科見学とたいして変わりない実習」になるそうだ。それでも、医師の卵たちにとっては非常に刺激の多い体験で、市原自身も例に漏れずこの早期臨床実習のことを鮮烈に記憶しているという。

ある整形外科の病院を一週間ほど見学した彼は、その最終日に一人の看護師から突然、「看護って、どういう仕事だと思う？」と尋ねられた。しどろもどろになりながら、医者のサポートではないんですよね、とおそるおそる尋ね返すと、その看護師は少し呆れつつも、彼に対してこのように説明してくれたという。確かに医師しか患者の診断をしてはいけないし治療もほとんど医師がやらなければならないが、医療は診断と治療だけで成り立っているわけではない。それとは別に、患者そのものに目配りしてケアをする、つまり「維持」を図るのが看護師の担当なのだと。彼女はこれから医師を目指す市原に、看護師を見下すような医師になるなと戒めると同時に、「維持」が医療において重要な地位を占めていることを教えてくれたのである。

この時の看護師の教えを踏まえて、市原は医療には三本の柱があると整理している。つまり、病気の正体を暴く「診断」。病気そのものを治す「治療」。そして、治す前、治している最中、治ったあと、あるいは治らないでいる時に、どうしたらいいかを教えたりサポートしたりする「維持」、この三つである。実際の医療現場ではこれらの要素が複雑に絡み合っているため、医師や看護師など多くのプロフェッショナルがそれぞれできることを持ち寄る、つまり分業を行うことでこの三本の柱を強く太くし、医療という大きな屋根を持ち上げていくこととなる。

ただ、分業とは言っても三つがバラバラに行われているとは限らない。例えば救急救命室（ＥＲ）の医師なら「診断と生命維持」が、過疎の山村に診療所を構える家庭医なら「維持と診断更新」が主な仕事となるように、「診断」「治療」「維持」の配分によって様々なタイプの医師が存在する。医師は「診断」「治療」だけを行い、看護師は「維持」を一手に担う、というような単純な役割分担ではないのだ。

それでは、市原のような病理医たちは、複雑な分業化の進んだ現代の医療においてどのような役割を担っているのだろうか。実は、病理医は三本の柱のうち、「治療」と「維持」ができない。この二つは一切担当せず、「診断」だけに特化した仕事を行うのである。先ほど、三つがバラバラに行われているとは限らない、単純な役割分担ではないと言ったばかりだが、病理医はむしろ極端なまでにわかりやすい担当領域を持っているタイプの医師だと言える。

病理学＝パソロジー

市原によれば、「診断」とは患者が「なぜつらい目に遭っているのか」の原因を探って名前をつけることである。「診断」を行うからこそ病気について今後の予測が立てられるようになり、「治療」を決めることができる。ただし、ガンなどの病気の場合、原因となった細胞の形や遺伝子の異常までチェックしなければならないため、通常の「診断」を担当している臨床医の手に余る。そこで、極めて専門性の高い特殊技能を持つ病理医が、検体を対象に「病理診断」を行うのである。日々の大半を検査室で過ごすこととなる病理医のことを、市原はやや自嘲気味に、「ぼくらは、傷を縫えません。注射を打ったことがないです。飛行機で、お医者さんはいらっしゃいませんかといわれても、出て行けません。外来を持ちません。患者に会いません」と説明しているが、確かにこれは我々が思い浮かべる一般的な医師像とはかけ離れている。しかし、「診断」だけしか行わないこの一風変わった医師の存在を抜きにしては、現代の高度な医療は成り立たないのだ。

こうしてみると、市原が病理医の専門領域である「診断」について詳しく解説する前に、いつもはあまり注目されることのない「維持」の重要性について強調していたのは、非常に公平でバランスの取れた態度だということができる。彼はもちろん自分が「診断」に向いている（もしくは「治療」や「維持」にはあまり向いていない）と考えて病理医の道を選んだわけだが、その選択の背後には、自分は病理医である前に一人の医療者であり、医療を支えるにあたって三つの柱のどれもが等しく重要なのだということを肝に銘じなければならないという、痛切な自己認識があったことが見てとれる。ひょっとすると彼は、普段の業務では「診断」にしか関わることができないからこそ、余計にこのことを己に言い聞かせてきたのかも知れない。その辺りの事情はともかく、「診断」のスペシャリストである病理医が「維持」の大切さを説くという、この一見すると少し意外な現象は、病理学（パソロジー）という学問が「パトス」と「ロゴス」を組み合わせたものという語源を持っていることに着目してみた時、意外どころかある種の必然性を持っているように思えてきて興味深い。

「パトスの学」としてのパトロギー

哲学者の中村雄二郎はその代表作の一つである『術語集』の「パトス」の章で、このギリシャ語を一般に通用させたのが彼の敬愛する三木清であったことを知り、「やはりそうだったか、と思った」と前置きしつつ、このように書いている。

パトス（pathos）はふつう日本語では英語読みにしてペーソスと読まれ、人生の悲哀、哀愁といった意味で好んで使われてきた。それをギリシア語の原義にもどして、ロゴス（理性）との対比で情熱、激情の意味で逸早く使ったのが三木清だったのである。また三木は、パトスのこのような用語法の延長上に、イデオロギーに対するパトロギーを提唱している。ここでもパトロギー（Pathologie）は医学用語としての病理学のことではなく、パトスの学、主体的意識の学を含意させている。

三木清が「パトス」を自己の哲学に巧みに取り入れたのはわかったが、何故「パトス」は主体的意識と言い換えることができるのだろうか。それは「パトス」だけでなく「ロゴス」との対応関係を見なければならない。そもそも哲学的伝統においては、倫理的であることと理性的であることが同一視され、理性に従って諸々の激情を制御するのが倫理的とされてきた。確かに我々は自分の身体的なものと深く結びついている情念や欲望を飼い慣らし、理性的な行動を心がけることを人としてあるべき姿だと考えがちである。倫理は「ロゴス」の側にあって「パトス」は倫理に反するものだとされている。

しかし、三木はこのような見方を退け、むしろこれを転倒させなければならないと考えた。何故なら「ロゴス」は意識の客体的な面、対象化と客観化の働きを持つものであって、人としてどうあるべきかという主体的な意識はむしろ「パトス」の働きだからだ。三木はそこから、倫理のような「パトス」的／主体的意識をパトロギー、「ロゴス」的／客観的知識をイデオロギーと呼ぶとすれば、人間というものはパトロギー的かつイデオロギー的に捉えられなければならないと説いたのである。

ちなみに三木が一九三〇年代の前半にこのような形でパトロギーの重要性を強調したのは、文学の問題をイデオロギーの問題として論じることが流行となっており、文学における主体的なもの、つまり「パトス」的なものを無視する当時の風潮を批判するためであった。そうした文脈を離れても彼が提案したパトロギーの用語法は我々にとって魅力的に映るのだが、イデオロギーとの対応関係を持ち出す前に、パトロギー自体が既に「パトス」と「ロゴス」の合成語であるという事実について三木が注意を払っていない点はどうしても気になる。更に、「パトス」が情熱や激情だけではなく、苦悩、受苦、受難なども意味することを三木があまり意識していないように見えることも、「パトス」と倫理の結びつきについて考える上では物足りなさを覚えるところではある。

ここでもう一度、病理医の市原真が医療における三本の柱について考える際に、自身の専門領域である「診断」ではなく「維持」の重要性を強調していたことを思い出してもらいたい。三木の議論を参照しながらこのことを再考してみると、市原のこの謙虚でフェアな態度には、三木の言う「パトスの学」としてのパトロギーと病理学としてのパソロジーを架橋するためのヒントが隠されているように思われる。それは、「パトスの学」にせよ病理学にせよ、「ロゴス」で無理やり「パトス」を制御するのではなく、「パトス」の深い認識から「ロゴス」が導き出されるのでなければならないということだ。

市原が挙げた三つの柱のうち、「診断」と「治療」は明らかに「ロゴス」の側に属する医療行為だと考えることができる。それに対し、「維持」はその大部分が「パトス」に関わっている。それは「維持」に携わる医療者だけが熱い情熱を持っているからではない。患者の苦しみを対象化して遠くから眺めるのではなく、むしろ寄り添ってケアすることで「維持」が成り立っているからである。皮肉なことだが、「診断」や「治療」が「維持」よりも高尚なものとして扱われやすいのも、「パトス」よりも「ロゴス」に高い価値を置く知的伝統があることからすれば不思議ではない。しかし、若き市原が早期臨床実習で出逢った看護師は、「診断」や「治療」といった「ロゴス」的医療のスペシャリストであっても、「パトス」の医療である「維持」の重要性を忘れてはならないと彼に教えてくれたのだ。

そう考えてみると、病理学だけがパソロジーなのではなく、医療というものはある意味では全てがパソロジーであるべきなのだと言うことができる。そしてこのように拡大解釈されたパソロジーの視点から見えてくるのは、もう一つの「パトスの学」としてのパトロギー、つまり倫理に関わる「パトス」と「ロゴス」が抱えている問題の深刻さである。特に、現代社会における正義または公正に関する議論は、「パトス」を軸に見直さなければならないのではないだろうか。

ロールズ正義論の大前提

通常は病理学を意味するパソロジーという言葉が、病理学だけでなく医療全体に通底するような知のあり方を表していること。更に、哲学者の三木清もこの語に着目して、倫理と深く結びついた主体的な「パトスの学」の必要性を提唱していたこと。その二つから見えてきたのは、医療においても倫理においても、「ロゴス」によって無理やり「パトス」を押さえつけるのではなく、「パトス」を深く受け止めたところから「ロゴス」が導き出されるのでなければならないということだった。しかし、医療はともかくとしても、倫理について考える上でこうした「パトス」の問題はこれまで十分に省みられて来なかったように思われる。そのことを象徴しているのが、現代社会における正義についての議論、いわゆる正義論の分野である。

　ところで、我々が正義論について語ろうとする時、アメリカの哲学者ジョン・ロールズのことを避けて通ることはほとんど不可能だと言えるだろう。何故ならこのロールズこそが、一九七一年に『正義論』というその名もズバリな大著を発表して、その後の正義論および政治哲学をリードした立役者だからである。彼はアメリカ発の新しい「リベラリズム」の旗手として、一般的には福祉国家政策の妥当性に哲学的な裏付けを与えたと考えられているが、それでは彼の理論とは一体どのようなもので、何故これほどまでに広範な影響力を持つに至ったのだろうか。

　ロールズ正義論の大前提は、ここでいう「正義（ジャスティス）」が「公正（フェアネス）」のことであって、「善（グッド）」とはとりあえず区別されるということだ。少年マンガや特撮ヒーロー番組などでは、「正義の味方」や「正義と悪の戦い」のように悪の対義語として正義という言葉を用いることがよくあるが、それは正義と善をほぼ同一視していると言うことができる。ロールズおよび「リベラリズム」の考え方はこうした立場を採らない。人の道に反する、非道徳的な考えや行いが悪なのだとすると、善は逆に人として目指すべき道徳的に優れたあり方を意味することになる。しかし、善がたとえ我々に生きる目的を指し示してくれるような重要な価値であったとしても、何を善とするかは個人や集団によって異なり、それが価値に関する問題である以上、一つの善と別の善が非妥協的に衝突することだってあるだろう。マンガや特撮でも、「正義の味方」同士がそれぞれの譲れない価値をめぐって争い合うという悲しい展開を迎えることがあるが、それはロールズに言わせれば正義というよりもむしろ善の問題なのだ。

それに対して、ロールズにとっての正義はあくまで公正、つまりフェアであることを意味している。どんな生き方や考え方が善なのかは様々であり、ある特定の善を信じていると思っている人もひとたびその具体的内容について考え始めればよくわからなくなってしまう。だから、人々がこの社会の中でお互いそれなりに上手くやっていくためには、あるべき善の形について論じるのではなく、誰もがそれぞれの善を追求できる自由でフェアな社会を構想する必要がある。

また、ロールズによれば社会とは「協働の冒険的企て」であり、人々がバラバラに独力で暮らし続けるよりも相対的にマシな暮らしを可能にしてくれるものである。日々の営みの中でお互いの利害が衝突することも多々あるだろうが、それでも孤立したり傷つけ合ったりするよりは力を合わせて共通の活動に参加した方が、きっと人々の暮らしは楽になる。しかし、そのためには特定の誰かに偏った形で利益を与えるのではなく、まんべんなく全員の利益となるように社会的協働の前提条件をデザインしておかなければならないのだ。ちなみに「正義（ジャスティス）」という言葉が「ジャスト」と同じ語源から来ていることを考えると、ロールズ正義論とは「善い」社会ではなく、「ちょうどいい」社会を作るにはどうすれば良いかを問題にしているのだと表現することもできる。

平等を重視する「正義の味方」たち

　このように、善の観点からも利益の観点からも社会にはまず公正としての正義が必要であると考えたロールズは、「原初状態」「無知のヴェール」「格差原理」などの独自の概念を駆使しながら、ロックやルソーに代表される社会契約説の現代版とも言える彼の正義論を展開していくこととなる。善をめぐる道徳論争に深く立ち入ることなく、あくまで社会理論として正義を語ることを可能にしたロールズの功績は大きく、世界中で『正義論』が大学の教材として取り上げられ、彼の議論に関連した論文や著作が次々と発表され、研究会やシンポジウムが開催されていくこととなった。こうして「ロールズ産業」とも呼ばれるアカデミズムにおける一大産業が形成されていくこととなったのである。

　ロールズ『正義論 改訂版』の訳者の一人でもある神島裕子は『正義とは何か』の中で、現代の正義論および政治哲学における主要な視点を紹介している。それはロールズの理論を基に福祉国家的政策を擁護する「リベラリズム」、ロールズの論敵であったロバート・ノージックに代表される「リバタリアニズム」、テレビ番組「ハーバード白熱教室」で有名となったマイケル・サンデルの思想的立場である「コミュニタリアニズム」に、「フェミニズム」「コスモポリタニズム」「ナショナリズム」を加えた六つなのだが、これらのどの思想的立場も全て、数々の論争を引き起こしながら「ロールズ産業」を盛り上げてきた戦友たちだと言うことができる。そして、ロールズを信奉し擁護するにせよ、批判的に継承するにせよ、社会における正義の重要性を無視できないという意味でこの人々はみな「正義の味方」であることに変わりはない。

「正義の味方」であるということは、社会というものはフェアであるべきであり、フェアな社会とは少なくとも何らかの意味で自由と平等のバランスが取れた社会のことだ、と考えていることを意味する。それは、ロールズ正義論の核である「正義の二原理」が、「基本的諸自由の平等」をうたう第一原理と「できる限りの社会的・経済的平等」を求める第二原理から成ることにも表れている。ロールズは、たとえ社会全体の福祉が増大することになるとしても決して侵してはならない個人の自由と権利があると考えたが、こうした個人の自由と権利を保障するためには、法律や政治、市場や家族といった社会の諸制度（ロールズの用語では「基礎構造」）が「正義にかなった社会に関する原理」で満たされている必要があるという。それが「正義の二原理」であり、この二つがどちらも平等に関する原理であることを見ても明らかなように、フェアであるということは平等であることに読み替えられているのである。

そのため、ロールズ以降の「リベラリズム」および正義論は、自由の尊重を前提としつつも平等をめぐる議論を深めてきた。その社会をフェアだと呼び得るためには何の平等が重要なのか。どのような形で平等が達成されていなければならないのか。こうした議論は確かに、我々の社会をより「ちょうどいい」ものにするためには不可欠に違いない。しかし、「正義の味方」たちが真摯な姿勢で追求しようとしてきた「ロゴス」は、「パトス」の呼び声に応えてきたと言えるのだろうか。

前述の『正義とは何か』の中で神島は、アダム・スウィフトというイギリスの政治哲学者があるインタビューで行った「興味深い問題提起」を紹介している。その問題とは「子どもに寝る前の読み聞かせをすること（ベッドタイム・ストーリー）は機会の平等の観点から道徳的に許されるか」というものだ。寝る前の読み聞かせをしてもらった子どもの方が、職業的・金銭的に見て将来の成功率が高いという調査結果があるが、それならば読み聞かせを受ける機会の不平等を問題にしなければならないのではないか。スウィフトはかなり挑発的ではあるが、敢えてこのような奇妙な問題提起をすることで、機会の平等が抱える難問を我々に示そうとしたのだろう。

ロールズ正義論や「リベラリズム」の立場からは、家庭環境という偶発性が子どもにもたらす有利・不利を見逃すことはできない。子どもは家庭環境を選んで生まれてくることができないのだから、機会の平等の観点から何らかの是正が必要になってくる。しかし、それはどのようなものであるべきか。読み聞かせをしてもらえない子どもの家庭にヘルパーが派遣されるべきなのか。あるいは読み聞かせをしてもらえなかった子どもは、入学試験や就職活動における格差是正措置の対象にすべきなのか。それとも全ての家庭で読み聞かせを禁止すべきなのか。反対に全ての家庭で読み聞かせを義務にすべきなのか。神島はこのように列挙しながら、スウィフトの問題提起は想像を掻き立てると述べている。

現代正義論における「パトス」の軽視

しかし、このような議論からは、ある重要な視点が抜け落ちているように思われる。それは、読み聞かせをしてもらえない家庭環境に生まれた子どもが受ける苦悩や受難、つまり「パトス」に向き合うことこそが優先されるべきなのではないかということだ。正義論がこれまでフェアな社会の構想にこだわってきたのは、現実の社会にはどうしても存在してしまう不平等によって不遇をかこつ者たちに手を差し伸べるためだったはずである。それならば、ベッドタイム・ストーリーは許されるかなどという表面的で形式的な「ロゴス」を弄する前に、不遇な子どもたちの「パトス」に寄り添おうとする、より深い立場からの「ロゴス」、いわば正義のためのパソロジーを探究すべきなのではないだろうか。病理医の市原真が示していた医療の三本の柱に喩えると、「正義の味方」たちは社会の問題を「診断」することや「治療」することにばかりこだわって、苦しむ人々のそばでケアを行う「維持」の大切さを忘れてしまいがちなように見える。

近年、格差やハラスメント、ヘイトスピーチなど、不正や不平等をめぐる問題にますます注目が集まっているが、これらの是正を訴えるＰＣ（ポリティカル・コレクトネス）のような「リベラリズム」の言説が、逆に高慢で虚偽的だと憎悪の念を向けられる場面も少なくない。その背景に現代正義論における「パトス」の軽視があるのだとすれば、容易には治りそうにない社会の病に苦しむ我々に必要なのは「維持」なのではないだろうか。そして、悩み多き患者同士、共に「維持」を図ろうとする主体性こそが今、求められているのではないだろうか。

第15章　倫理とトートロジー

よそはよそ、うちはうちです

皆さんは子どもの頃、友達がおもちゃを買ってもらったと聞いて、うらやましいと思ったことはないだろうか。ひょっとすると今どきの子にとっては、おもちゃなんかよりもスマートフォンやタブレット端末が出てきた方が、よりリアルなシチュエーションになるのかも知れないが、とにかくそれが何であれ、友達が新しい宝物について嬉しそうに話しているのを聞かされているうちに、自分も欲しくてたまらなくなった、という人は少なくないだろう。そして、このような経験をした人は、かなりの割合で、それに付随するもう一つの経験をしているのではないだろうか。

例えばここに、あの頃の我々と同じような思いを味わった少年がいるとしよう。彼は、クラスメートの一人が、別に誕生日でもないのに最新のゲーム機を買ってもらったと自慢している場面に出くわした。その場ではつとめて平静を装い、何ならそんなものを欲しがるなんて子どもじみていてかっこ悪いと揶揄するような態度すら示したが、それはもちろん虚しい強がりであり、負け犬の遠吠えに過ぎなかった。

その日の授業が終わり帰宅した後も悔しい気持ちが収まらず、もはや憤りにも似た感情にいても立ってもいられなくなった彼は、夕食の支度をしている母親にさりげなく今日学校であった出来事について話し始める。作戦遂行のために先ほどまでの感情の昂りを抑え、言葉を選びながら慎重に説明を重ねていき、そして最後になって、まるでふと思いついただけかのように、少年は自分もそのゲーム機が欲しいことを母親に伝えてみる。すると、彼の魂胆などとっくに見透かしていた母親は彼の方を振り返ることもなく、極めて冷淡にこう言うのだった。

「よそはよそ、うちはうちです」。

まんまと外交交渉に成功したと思っていた少年は、あまりに意外であっけない形勢逆転に焦り、何でなの、みんなもゲーム機を持っているのに何でうちだけは買ってくれないのと、話を大げさにしながらなりふり構わず食い下がるが、無情なる母親はそんな彼に最後の一撃を下すのだった。

「ダメなものはダメよ」。

このように、買って欲しいものを親にねだった結果、「よそはよそ、うちはうち」や「ダメなものはダメ」といった言葉で門前払いを食らった覚えがある人は多いと思うが、トートロジーと呼ばれるこれらの言葉は、よく考えてみると非常に不思議な表現である。ここでいうトートロジーとは、ひとまずは同語反復、つまり「XはXだ」という形をとる文を指しているが、おそらくは「よそでは子どもにゲーム機を買い与えているかも知れないが、うちは違う」「どんなにねだっても絶対にダメだ」といったことを意味しているであろうメッセージを伝えるのに、この母親は何故トートロジーを用いたのだろうか。そして、表向きは「XはXだ」でしかないはずの言葉を聞いて、少年は何故母親が言わんとしているメッセージをちゃんと受け取ることができるのであろうか。

ちなみに論理学においては、恒真式または恒真命題と呼ばれるものを全てトートロジーと呼んでおり、これは必ずしも同語反復的な形をとるとは限らない。例えば、「私がこの世界に五人いるならば、私はこの世界に一人だけではない」という命題があるとすると、「私がこの世界に五人いる」という部分が真であるか偽であるかにかかわらずこの命題全体は必ず真となる。つまり、世界の実際のあり方とは無関係に真になる命題を、論理学では恒真命題、トートロジーという。

恒真命題は世界のあり方とは無関係なため、必ず真であると同時にそれを知っても世界について何かを知ったことにならない、いわば無意味であるという特徴を持つ。もしここで同語反復としてのトートロジーも恒真命題としてのトートロジーの一種だとすると、「XはXだ」もまた無意味だということになる。しかし、先ほどの少年と母親の間で無意味なやり取りが繰り広げられたとは考えられない。「よそはよそ、うちはうち」「ダメなものはダメ」は無意味な言明になるはずなのに、実際にはある程度推測可能な意味を持ったメッセージとなるのは何故なのだろうか。

無意味なはずが意味を持つ？

言語学者の酒井智宏は『トートロジーの意味を構築する』の中で、「XはXだ」のような同語反復の文としてのトートロジーを研究するにあたって、その基礎となる問いを提示している。それは「トートロジーは何を伝達するか」「トートロジーはいかにしてそれ自身が担っていない（＝言外の）意味を伝達するか」「伝えたい意味を伝えるのにトートロジーが用いられるのはなぜか」の三つである。更にそこから派生して、「トートロジーの伝達内容が信念不変の制約に従うのはなぜか」「トートロジーが話題を封じる機能を持つのはなぜか」という残り二つの問いも出てくるという。

これら五つの問いの中でも最も重要な地位を占めているのは第二の問い、つまり無意味なはずのトートロジーが言外の意味を持つのは何故かというものであり、酒井はこの問いを軸に綿密な議論を展開している。その詳細をここで紹介することはできないが、乱暴に議論を整理すると、言語学におけるこれまでのトートロジー研究はラディカル語用論とラディカル意味論の間での争いだったということができる。

言語表現の文字通りの意味を研究する意味論に対して、語用論はその言語表現を行った者がその場で伝えようとした言外の意味を研究する分野である。ただ、語用論が対象とする言語表現には通常、いわば「言内の意味」があって、それが言外の意味を支えている。ある人が「誠意を見せて欲しい」と言って「こちらに金を払え」というメッセージを暗に伝えている場合、実際にした発言にもちゃんと文字通りの意味は存在しているだろう。

しかし、トートロジーは命題としては無意味なはずであり、言外の意味を支えるはずの「言内の意味」がそもそもない。そのため、トートロジーの言外の意味を求める試みは普通の語用論を超えた語用論、ラディカル語用論なのである。

その一方、ラディカル意味論はラディカル語用論が依って立つ大前提を否定している。つまり、トートロジーは無意味な命題を表しているのではなく、最初から文脈とは独立に慣習的な意味を持つと考えるのである。例えば「XはXだ」という構文は、冷めた態度や義務、賞賛などのような複数の意味を表し、いくつの意味を持つかは経験的に決められるため、新しい意味を発見したらその都度辞書に書き込んでいくことになる。ラディカル意味論とは要するに、「トートロジーにはこのように色々な用法があります」と列挙していく立場なのだと言える。

このようなラディカル意味論の考え方は一見するとかなり説得力があるように思われるが、よく考えてみると、トートロジーが何故その多義的な意味を持つのか、そのメカニズムを解明するという努力を放棄してしまっている。トートロジーは何故そのような意味を持つのか、それはそういう用法があるからだ、と言っているだけに過ぎない。皮肉なことに、ラディカル意味論によるトートロジーの説明は、それ自体が恒真命題としてのトートロジーに陥ってしまっているのである。

ラディカル語用論がラディカル意味論の二の轍を踏まないためには、無意味であるはずのトートロジーが多義的ではなくてある特定の意味を持つことを証明しなければいけない。しかし、そもそも無意味な命題を表す文が、どうやって特定の意味を持つのだろうか。酒井はラディカル語用論に属する様々な議論を精査しながら、それらを全て粉々になるまで反駁していく。そして、ラディカル語用論はその不可能性によって、ラディカル意味論はその不毛さによって批判された結果、我々はジレンマに立たされることとなる。

意味を定めていこうとする行為

しかし、酒井はこのジレンマから抜け出す道が一つだけ残されているという。それは、「トートロジーが何らかの命題を表す」という前提を捨てることである。これには、ラディカル語用論が前提としていた「無意味な命題」という考え方も、ラディカル意味論が想定する「多義的な」命題という見方も含まれる。

更に、彼は「XはXだ」という表現が発話された段階では、Xの意味も不定であるという事実に着目する。伝統的意味論では、語の意味は文脈に独立した形で定義できると想定されている。しかし、我々は語があらかじめ意味を持っているおかげでその語を使うことができるのではなく、とりあえず盲目的にその語を使ってみて、必要に応じてその使用が適切かを判断している。例えば、我々は皆、動物学者のような専門家でさえも、「猫」という語の定義を完全に知っている訳でもないのに平気でこの語を使っているし、その使用の中で「猫」という語の意味は変わっていく。

言語表現の意味はその使用と不可分だとするこの観点から、同語反復としてのトートロジーをもう一度見直してみると、「XはXだ」という日常的な表現は、実は論理学における恒真命題を表していたのではないことがわかる。Xの定義が不定である以上、「XはXだ」が当たり前の事実の再確認であるかどうかもまだわからないからだ。

トートロジーとはむしろ、意味が不定なXというものに対してもう一度同じXという語で再命名を行うことで、Xの意味を部分的に定めようとする行為なのだと酒井は結論づける。同じ語による再命名は、前後の二つのXを類似したものだと捉えようとする話者の意志を反映している。ただし、その定義は決して完結することはなく、不断の形成過程にあるのだ。

つまり、「よそはよそ、うちはうち」「ダメなものはダメ」という母親の発言も、ただの無意味な言明でもなければ前もって決まった意味を持つものでもなく、息子である少年とのコミュニケーションの中で「よそ」「うち」「ダメ」の意味を定めていこうとする行為だったのだ。そして、それがコミュニケーションの中で行われている以上、少年もその意味づけに共同参画していると言うことができるのだ。
そう考えてみると、善悪や公正に関わる倫理的な問題に対して、まるで論理的説得を拒絶するかのように「ダメなものはダメ」のようなトートロジーが登場することがあるが、実はそれも無意味な恒真命題の提示なのではなく、意味を定めようとする共同の営みなのではないだろうか。

XをXで再命名する

友達が買ってもらったという最新ゲーム機を、自分にも買ってと母親にねだる少年。すると母親はにべもなく、「よそはよそ、うちはうちです」「ダメなものはダメよ」と言って少年の期待を打ち砕いてしまった。しかし、何故母親は少年に対してトートロジーと呼ばれる言葉で答え、少年の方もそれが母親の決定的な意思表明だと捉えたのか。「XはXだ」という文は命題としては無意味に思えるというのに。

言語学者の酒井智宏によると、日常言語におけるトートロジーがこのような効果を持つのは、それが何らかの命題を表す文ではなくてXの意味を部分的に定めていこうとするものだからだという。ここで言う「何らかの命題」には、いわゆる「無意味な命題」も含まれている。「XはXだ」が命題として無意味、つまり恒真命題だということさえも、酒井は否定しているのだ。

「XはXだ」が恒真命題だと主張するためには、前者と後者のXが同じ内容を表していると想定しなければならず、前者と後者がイコールということはXという語が指す意味が明確に定義できることを意味している。いくら恒真命題がXの内容の真偽にかかわらず真になるとは言っても、Xが何らかの固定的な意味を持つという前提がなければそれは成り立たない。

しかし、その前提に基づいてトートロジーが無意味な命題だとみなすと、語用論の立場は矛盾をきたすこととなる。「よそはよそ」や「ダメなものはダメ」という言葉が、実は「よそは（絶対的な）よそ」「ダメなものは（本当の）ダメ」を意味していると解釈できるのだとすれば、Xは何らかの形で「Xそのもの」と「Xのプロトタイプ」とでも呼べるような二つの意味に分裂していることになる。語用論はXの定義の安定性を前提にトートロジーを無意味な恒真命題と見なしたにもかかわらず、そこから有意味なメッセージを引き出すために最終的にはXを二つの意味に使い分けるという違反を犯してしまうのだ。

そもそも語用論は、文がその置かれている文脈によって言外の意味を持つという現象に着目するが、文意の文脈依存性に自覚的であるならばXのような語の文脈依存性にも注意を払うべきだろう。酒井はそのような立場から、Xの意味が不確定なものである以上、トートロジーは命題を表しているのではないと主張する。そしてそこから彼は、トートロジーとはXをXで再命名する言語行為であるという説を展開する。しかし、XをXで再命名するというのは、一体どういうことなのだろうか。

まず、我々は「Xは」と発話する段階で、ある事柄に対して既にXと命名していることになるが、その段階でもXが指す意味は不定であり、それは聞き手にとってだけではなく、発話した当の本人にとっても同じである。我々はXの定義をあらかじめ知った上で話しているわけではなく、Xの使用の適切性をその都度探っているからだ。しかし直後、「Xである」という形で、我々はもう一度同じ事柄にXという名前を与えようとしている。ここで重要なのは、「XはXだ」と同語反復を行ったからといって、これが恒真命題のように無意味な言明だとは言えない点である。前者のXと同じように後者のXもその意味は不定であり、前者と後者のXが同じ内容を指しているかどうかもまた確定していない以上、これは当然の結論だろう。

残されたのは、一度Xと呼んだものを我々が後でもう一度Xと呼んだという事実だけのように見える。それならば何故、我々はわざわざXをXで再命名するのか。それは、前者のタイミングであれ後者のタイミングであれ、ある事柄が持つ意味は類似していると話者が見なしているからであり、前者と後者に同じ名前を用いることで、その事柄を一貫した関心のもとで捉えたいと話者が意思表示しているからに他ならない。トートロジーがXの意味を部分的に定めようとする行為だというのは、このことを指しているのである。

よそはうちではない、うちはよそではない

例えば、「よそはよそ」という母親のセリフを考えてみよう。母親は、最初に「よそ」と呼んだものを再び同じ名前で呼ぶことによって、自分が前者の「よそ」と後者の「よそ」は類似した意味を持つものだと考えていることを、息子である少年に伝えようとしている。その際、母親と少年はどちらも、「よそ」の定義を前もって完全には知らないというよりも、「よそ」の完全な定義などというものはない。それでも、母親は前者と後者を一貫して「よそ」と呼び続けたいという態度を示すことはできるし、息子はそれを理解することができるのだ。

更に、「よそはよそ、うちはうち」とトートロジーを繰り返すことで、「よそ」の一貫性と「うち」の一貫性は強調されることとなる。「よそ」「うち」の定義がいかに不定でも、母親がこの二つを対義的に使っており、「よそはうち」「うちもよそ」などと母親が決して考えていないことは明らかである。少年は、母親が「よそ」と「うち」の意味をもう一種の制限、つまり「よそはうちではない」「うちはよそではない」という枠内に閉じ込めようとする言語行為に出会ったのである。

こうなってくると、トートロジーは無意味な言明でないのだから常識的な語用論のレベルで解釈可能になったようにも思えるが、まだ問題が残っている。少年はおそらく「○○君の家みたいに、僕にもゲーム機を買ってよ」といった言葉で母親にねだったのだろう。それでは母親は何故、それに対してトートトロジーの文で答えたのだろうか。単に「買いません」で良かったのではないだろうか。注目すべきは、酒井がトートロジー研究において基礎となる問いとして挙げた五つの中に、「トートロジーが話題を封じる機能を持つのはなぜか」というものがあったという事実である。

酒井の言葉を借りるならば、トートロジーとは「言語記号の恣意性を前提にして、Xという語の意味を自分なりの関心のもとに定めていく行為」である。だから、トートロジーの聞き手からすると、「Xに関する相手の定義を拒否すれば、Xについての対話の可能性が断たれ、Xについての対話を続ければ、相手の定義を受け入れたこととなり、Xの定義に関する話題は終了する」という事態が起こる。トートロジーが話題を封じる機能を持つのは、話者によるXの（暫定的な）定義を受け入れるかどうかという決断を聞き手に迫るからだと言うことができる。

母親に「よそはよそ、うちはうち」と言われた少年は、母親による「よそ」と「うち」の定義を突きつけられる。もし母親の定義する「よそ」「うち」を拒否すれば、母親はもうこれ以上ゲーム機をめぐる交渉には乗ってくれなくなるかも知れないし、逆に「そうだよね、よそはよそ、うちはうちだよね」と認めてしまえば、「よそ」と「うち」は違うという母親の言い分を受け入れ「○○君の家と僕の家は違うのだから、ゲーム機を買ってもらわなくても良い」と納得したことになる。「ダメなものはダメ」と、まさにダメ押しまで受けて、少年は黙らざるを得なくなるのである。

しかし、このような「よそ」「うち」の定義を一方的に提示して話題を打ち切ろうとする母親の態度は、どこか一方的で独善的に映る。それは、母親が少年と同様に、本来は「よそ」「うち」の定義について限界のある立場にもかかわらず、両者の間ではまるで自分にだけ「よそ」「うち」の意味を定める権利があるかのように振る舞っているからである。酒井はこのことを指して、「トートロジーは、他者が持つ命名権を擬似的に奪い取ることによって可能になる発話である」と説明している。

ちなみに、ここで言う「他者」とは母親にとって少年だけでなく、「よそ」「うち」の定義に関わりうる共同体の成員を意味するだろう。例えば、この二人の会話に父親や他の家族が割って入るならば、「よそ」「うち」の命名権はその人たちにも認められるはずである。母親はそれを擬似的に独占して、少年の話題を封じにかかっているのである。

倫理的言明が持つ両義性

ところで、「何故人を殺すことはいけないのか」や「何故人に親切にしなければならないか」といったような、根本的な倫理上の問いに対して、「いけないことはいけないことだから」「善いことは善いことだから」のようにトートロジーの形をした答えが出されることがある。こうとしか答えようがないと開き直る相手に対して、我々は普通、そのような答えは何の説明にもなっていないと感じるだろうし、意味がないと思うだろう。

しかし、トートロジーが意味を定義しようとする言語行為なのだという観点に立つならば、少なくとも相手は無意味な発言をしようとしているのではないことがわかる。彼らは善悪の判断の前に、善悪の定義について、こちらと共有したいと望んでいるのである。その反面、差し出された定義には限界があるにもかかわらず、相手はその定義を押しつけようともしている。つまり、トートロジーは意味がない発言ではないが、説明を拒む態度を含み得るのである。

よく考えてみれば、トートロジーに限らずあらゆる倫理的な答えは、過去から現在、そして可能性としては未来も含め、共同体内で不断に形成される語の意味を、話者が擬似的に奪い取って使用することによって成り立っていると言える。我々は誰も、善や悪について確定的なことは言えない。それにもかかわらず、我々は相手と共に少しでもその意味づけを行おうとしているのだ。

倫理的問いに対する答えは確かに、説明拒否の独善的なものに陥りがちである。しかし、そうだとしてもなお、その答えにおける善悪の定義が更なる再定義に開かれていることも事実である。我々は倫理的言明の持つこの両義性を理解した上で、倫理の問題を単なる形式的な命題として外部から眺めるのではなく、様々な対話相手との共同作業として「行為」することが求められているのではないだろうか。

だから、母親に「ダメなものはダメよ」と言われた少年も、そう簡単に諦めてはいけない。母親のやや一方的な言語行為に異議を唱えるのもまた、少年が母親に対して取ることのできる倫理的な態度だと言える。そして今度は、少年の方から母親に対して、語の意味を定めようとする共同の言語行為をしようと提案すればいいのだ。そう、こんな風に。

「欲しいものは欲しいの！」。

第16章　偽装とコスモロジー

現代社会の不吉な特徴

突然だが、皆さんは二〇〇七年度の「新語・流行語大賞」を覚えているだろうか。いきなり何を言い出すのかと思われるかも知れないが、そもそも「新語・流行語大賞」とは、自由国民社が毎年発行している『現代用語の基礎知識』に収録された用語をベースに世間を賑わせたと思われる言葉を選び、その言葉に深く関わった人物・団体を顕彰する年末恒例のイベントである。そこでトップテンおよび年間大賞に選ばれた言葉の中にはまさに世相を反映した納得のものもあれば、「本当にこんなの流行ったかな」と首をかしげるようなものもあり、世間話に花を咲かせるにはもってこいのネタを提供してくれるため、各種メディアでも重宝されてきた。

とは言え、こうした企画の宿命か、どんな言葉が「新語・流行語大賞」に選ばれたかなどということは、しばらくすればほとんどの人の記憶から消え去ってしまう。一番最近のものですらおぼつかないのに、二〇〇七年の結果などと言われてもわかるはずもない。ちなみに、この年の年間大賞を紹介しておくと、「(宮崎を)どげんかせんといかん」と「ハニカミ王子」のダブル受賞だったそうだ。何とも言えないチョイスである。「へえ、そうだったのか」くらいの感想しかない。

ただ、今から振り返ってみた時、二〇〇七年のトップテンの中にはこれら二つよりもはるかに重要な流行語が含まれていたように思われる。その言葉は、トップテンの中で唯一「受賞者なし」となっていた。何故ならそれは、この年多発したある社会問題を表しており、それに深く関わってしまったことが極めて不名誉だったからだ。その流行語とは、「食品偽装」である。

食品加工卸業者による偽装ミンチ肉の出荷問題に端を発し、ブランド地鶏の産地偽装、人気銘菓の賞味・消費期限偽装、更には一流料亭でのメニュー偽装および食べ残しの再提供問題と、確かにこの年は全国で食品偽装問題が次々と発覚し世間を騒がせていた。しかし、食品偽装が大きな話題になったのは二〇〇七年が最初ではない。二〇〇一年には、複数の食肉卸売業者が国のＢＳＥ（牛海綿状脳症、一般には狂牛病とも）対策事業を悪用して、輸入牛肉を国産牛肉と偽り補助金を不正に受け取るという、いわゆる牛肉偽装事件が既に起こっていた。

また、食品偽装ではないが、二〇〇五年には一級建築士による構造計算書の偽造により、建築基準法の定める耐震基準を満たしていないマンションやホテルが多数建設されていたという事実が発覚するという、耐震偽装事件も発生していた。このように、偽装という言葉は、二〇〇〇年代の日本においてもはや一過性の流行語などではなく、極めて日常的なキーワードと化していたのである。

さすがにこの言葉が当時ほど注目を浴びることは少なくなったように思われるが、偽装という表現を使わずともそれにあたる行為は今も枚挙にいとまない。「データの改竄」や「資料の隠蔽」「公文書の偽造」など、偽装に関する問題や事件は頻発しており、コンプライアンス（法令遵守）の強化や徹底ということが近年これほどまでに叫ばれるようになったのも、偽装問題と無縁ではないだろう。偽装の常態化、あるいは偽装の発覚の常態化は、現代社会の不吉な特徴だと言うことができる。

現代は「真実以降」の時代

こうした状況は何も日本だけに限ったことではない。二〇一六年には、イギリスのオックスフォード英語辞典の Word of the year に「ポスト・トゥルース（post-truth）」が選ばれたが、これは「フェイクニュース」という言葉の一般化とともに、世界中で偽装が過去のいかなる時代よりも深刻な問題を引き起こしていることを象徴している。インターネットに蔓延するおびただしい数のフェイクニュースは、何が偽装で何が偽装ではないのかを区別することがもはや不可能にも思えるほど困難であるという事実を、我々に突きつけている。それならば、もはや真実を追求することに意味はない。自分たちに好都合な情報をでっち上げ、それを拡散して信じ込ませた方が早い。現代は真実以降の時代なのだ。こうしてポスト・トゥルースという現状認識は、偽装を糾弾するどころか事実上容認する地点まで、我々の道徳感覚を弱らせてしまう。

しかし、何が真実で何がフェイクかわからないと悩む受動的な立場にいるならともかく、自ら進んで偽装に加担し、フェイクだとわかっているものを真実だと言い張ろうとする者は、真実の価値を信じる者でしかあり得ないのではないだろうか。真実とは何か、それは誰にも簡単にわかることではない。しかし、真実とは何かはわからなくても真実に価値があると思うことはできる。その意味で、「現代はポスト・トゥルースの時代だ」と吹聴すること自体が、実はトゥルースの力を信じる者たちによる大がかりな偽装なのだ。

「編集工学」の提唱で知られる著述家の松岡正剛は、『擬　MODOKI――「世」あるいは別様の可能性』でこのようなことを書いている。彼は少年期のどこかで、世の中には「知ってはいけないこと」があるらしいと感じた。この考えは成長していくにつれて変化しつつも深まっていったが、「それでは世の中では何が隠される必要があり、何があかるみに出てもかまわなかったのか」という難問は、しばらく解けないまま放置されていた。

偽装の裏でオリジナルを信じる逆説

そんな彼にヒントを与えてくれたのが、文芸批評家のルネ・ジラールの諸作であったという。松岡がジラールから得たヒントは二つあった。まず、どんな共同体においても歴史のどこかで暴力が使用され、そこには大抵の場合、犠牲と復讐が発生した。そのため、共同体は犠牲者の名や復讐の理由を隠すことによって、つまり暴力の痕跡を消すことによって富を蓄え繁栄することができた、というものである。

そしてもう一つのヒントは、彼にとってより決定的なものだった。暴力と犠牲の奥には「横取り」があったのではないか、隠されなければならなかったのは「誰が何を、誰からどのように横取りしたか」という事実で、横取りをするために何かが正当化され制度化されたのではないか、というものだ。

松岡はジラールから得たヒントをきっかけに、ある横取りの物語を連想する。旧約聖書創世記に出てくる、レベッカによる横取りである。レベッカとは、アブラハムの子のイサクの妻で、日本ではヘブライ語の発音にしたがってリベカと表記されることも多い。それでは、イサクの妻のレベッカは、何をどのように横取りしたというのだろうか。

ユダヤの父祖アブラハムは、その子イサクに第二代の族長の座を譲ったが、息子の妻は自分の故郷カルデアから迎えたいと考えた。こうして、カルデアの娘レベッカに白羽の矢が当たり、アブラハムの下僕のエリエゼルの勧めもあり、彼女はイサクの妻となる。その後、イサクとレベッカの夫婦は長らく子に恵まれなかったが、イサクが祈り続けた末、主は二人に双子の子、エサウとヤコブを授けた。ただ、双子と言ってもこの兄弟は非常に対照的で、生まれつき全身が赤い毛でおおわれていた兄のエサウは狩りの名人に成長する一方、弟のヤコブは子供の頃から身体が弱かったが知恵の面で優れていた。そして厄介なことに、父イサクは兄エサウを、そして母レベッカは弟ヤコブをかわいがったのだった。その結果、大変な事件が起こることとなる。

イサクもすっかり年老いて目も見えなくなり、遂に三代目の族長を選ぶこととなった。その際、彼はエサウに後を継がせようと考えていた。ユダヤの社会は長子相続であり、イサクもまたアブラハムの長子であった。だからイサクが兄のエサウを後継者に考えたのは当然のことであった。しかし、ヤコブを愛するレベッカはこれに納得がいかない。そこで彼女は一計を案じることにした。父が子に祝福を与えるという大切な儀式の場に、ヤコブにエサウの変装をさせて送り込むことにしたのだ。

レベッカはヤコブにエサウの声を真似させ、服装もそっくりにし、その身体には毛深い赤毛に似た子ヤギの毛を巻き付けた。そう、レベッカによる偽装工作が行われたのである。目の見えない父イサクは、いぶかしく思いながらも変装したヤコブのことをエサウだと信じて、ヤコブに祝福を与えてしまう。イサクは族長としての一切の権限を、ヤコブに譲る決定をしてしまったのだった。

狩りから戻ったエサウは母と弟の企みに気づくも時すでに遅く、族長の座は弟のものとなっていた。エサウはヤコブを殺そうとするが、レベッカはヤコブを自分の兄ラバンの元へ逃がしてその身を守った。こうして、レベッカの偽装は見事に功を奏し、横取りが成立したのだった。

レベッカがその偽装計画で横取りしたもののことを、松岡は「長子」と「始原の資産」と表現しているのだが、少し補足しておくとこの二つは単なる家督や財産には留まらない、もっと重要なものであった。イサクからヤコブへと受け継がれたのは、要するに神からの祝福を受ける権利なのであり、アブラハムやイサクが族長の座を得たのも、神から祝福され神に選ばれし者たちだからである。レベッカが必死になるのも無理はない。イサクの後継者になるかどうかということは、神に選ばれるかどうかということと同じなのだ。

それにしてもレベッカは不思議な人である。族長であり、長年連れ添ってきた夫でもあるイサクを平気で欺こうとしたのもひどい話だが、何よりもこのような偽装で神をも欺くことができると思ったのだろうか。愛する息子のためとは言え、これほど不敬神な真似はないと言える。しかしその一方で、神の祝福を受ける権利が長子にのみ与えられるという、ユダヤ社会の掟のことを絶対的だと信じているという意味で、彼女は極めて敬虔な神の信者だったとも言えるのだ。

そう考えてみると、レベッカはポスト・トゥルースを騙る者とどこか似ている。偽装の成功を期待する者は、逆説的な形で「始原の資産」、つまりオリジナルなものの価値を信じているからだ。神や真実、秩序立った世界といったものの存在をどこかで想定しなければ、自分たちが手を染めている行為を偽装だと思うこともない。奇妙に聞こえるかも知れないが、フェイクを自覚する者はオリジナルを信じているのである。偽装という問題の根深さは、この逆説の中に潜んでいるのだ。

コンプラ疲れとファクトチェック

創世記に登場するレベッカ（リベカ）は、愛する息子に「始原の資産」を継がせるため、神をも恐れぬ偽装計画を実行した。彼女と同じように、自らをフェイクだと自覚する偽装の実行犯たちは本物だけが持つ価値の信奉者であるにもかかわらず、いや、信奉者であるからこそ、それを横取りしようと企てる。しかしその結果、フェイクの拡散によって自らが信じる価値を貶めてしまうのだった。

倒錯的な偽装犯が生み出す逆説は、偽装によって被害を受ける側の人々にも深刻な打撃を与えることとなる。例えば、偽装の蔓延とも関連して、近年ではコンプライアンスの強化や徹底が叫ばれているが、社会のあらゆる場面にこのコンプライアンスという言葉が登場するようになると、我々は何をするにも煩雑な手続きや厳しい審査を要求されることになった。これまでならば十分許容されていたようなことが「コンプラ」の名の下に排除されてしまうため、あらゆる言動が「コンプラ」に引っかからないかどうかで判断されるようになり、この窮屈な状況に「コンプラ疲れ」を起こす人も少なくない。中には、「コンプラ」こそが社会に閉塞感を生み出す諸悪の根源なのだと批判する人さえ現れている。

また、フェイクニュースの無法図な拡散に対しては、ファクトチェックの重要性が語られるようになっているが、そもそもフェイクニュースの問題は、我々が得た情報が事実かどうかを判別することが極めて困難な点にある。真偽を判定する基準が明確でない以上、我々はフェイクニュースをフェイクだと決めつけることも難しくなっている。ファクトチェックの限界に直面すると、もはやフェイクかどうかに目くじらを立てて不安になるよりも、自分にとって好都合で心地よく響く情報を盲目的に受け入れて暮らす方が幸せになれる気がしてしまう。

　こうして偽装の常態化は、加担する者も被害を受ける者も合わせて、精神的な危機へと引きずり込んでいくこととなる。しかし、それは単なる不正や堕落というものではない。それは、本物、事実、オリジナル、そういった真なるものの価値を信じるがゆえの逆説なのであり、世界は何らかの秩序によって支えられているという素朴な感覚がなければ起こらなかった事態なのである。

アンチコスモスとしてのカオス

　東洋哲学研究の泰斗として知られる井筒俊彦は、公開講演の筆録である「コスモスとアンチコスモス」の中で、ギリシャ語に由来するコスモスという言葉を通常使われる「天体宇宙」という意味ではなく、原義を基にして「有意味的存在秩序（有意味的に秩序づけられた存在空間）」と定義している。我々は普段、無数の事物が連なってできる意味連関の網目構造の中に生きており、この網目構造は一つの調和ある自己完結的全体を形成している。これを彼はコスモスと呼ぶ。

　存在秩序空間としてのコスモスには大小様々な規模が存在し、大きなものとしてはそれこそ天体宇宙にはじまり、自然界、世界、国家、村、そして家などもコスモスと呼びうるものである。井筒の言葉を借りれば、「我々の日常生活、あるいは日常的行動空間そのものがコスモスなのであり、我々が日常生活を生きること自体が、すなわち、今申し上げたような意味でのコスモスの中に生存している、ということになる」のだ。

　こうしたコスモスの対極に位置する概念がカオスなのだが、これは「存在がコスモスとして生起する以前の原初の浮動的無定形状態、つまり簡単に言えば、秩序以前の無秩序」なのだという。カオスがそもそもコスモスに先行しており、有意味的存在秩序としてのコスモスが成立する前にそれが成立する場所としてあった根源的な無秩序のことだとすれば、コスモスとカオスは確かに対極にある概念ではあるが特に敵対するようなものでもない。それどころか、カオスが先にあったからこそコスモスが成立するのだ、と言いたくなるほど密接な関係がこの二者の間にはある。

しかし、コスモスがいったん成立してしまうと、カオスもまたその性格を変えざるを得なくなる。カオスは秩序以前にあった静的な無秩序というだけではなく、コスモスの存在秩序に積極的に対立、対抗、敵対する無秩序に変貌していくのだ。コスモスに対して暴力的破壊を志向する、こうした攻撃的で否定的なカオスのことを、井筒は敢えて「アンチコスモス」と呼び換えている。有意味で秩序立ったコスモスという生活空間の内部で、人々は安全を保証されくつろいで暮らすことができるが、アンチコスモスはこうした人間の安らぎを脅かすタイプの無秩序なのだ。

こう書くと、まるで我々にとってコスモスは善、そしてアンチコスモスは悪という図式が成立するかのように思えてしまうが、事態はそう単純ではない。井筒は人間が元来矛盾的存在であり、反逆精神からコスモスが提供してくれるコスモスの外に飛び出したいという衝動に駆られるという事実を指摘しつつ、それに加えて次のように述べている。

秩序構造としてのコスモスは、本性上、一つの閉じられた世界であり、自己閉鎖的記号体系としてのみコスモスであり得るのでありまして、秩序構造が完璧であればあるほど、それが、その中に生存する人間にとって、彼の思想と行動の自由を束縛し、個人としての主体性を抑圧する権力装置、暴力的な管理機構と感じられることにもなるのです。

先ほど、偽装の問題を考える上で「コンプラ疲れ」やファクトチェックの限界について触れたが、井筒のこうした議論を踏まえると、「コンプラ」を憎みフェイクに身を委ねようとする人々が増加する現象も、単に悪質な偽装が横行しているからという表面的な理由からのみ起こっているのではないことがわかってくる。偽装が蔓延するのも、それを防ぐことができないのも、その背景にはコスモスが我々に閉塞感を与え人間としての活力を奪うネガティブな作用を持っているという事実があるのだ。我々はどうしても秩序と無秩序を対立的に捉えてしまう。そして、我々が普段住まうコスモスという空間の外側から、カオスという他者が襲いかかってくるために秩序が攪乱されるのだと考えがちである。しかし、井筒はコスモス成立後のカオスをアンチコスモスと呼ぶことによって、こうした見方を修正しようとしているのだ。

つまり、アンチコスモスは、外部からコスモスに迫って来る非合理性、不条理性の力ではなくて、コスモス空間そのものの中に構造的に組み込まれている破壊力だった、ということです。すなわち、存在秩序それ自体が自己破壊的であり、自分自身を自分の内部から、内発的に破壊するというダイナミックな自己矛盾的性格をもつものであったのです。

偽装を行う者が真なるものの価値を信じているからこそ秩序を乱してしまうのも、秩序破壊を前にしてなお我々が偽装を容認してしまうのも、コスモスとアンチコスモスが表裏一体であり、コスモス自体の孕んでいる矛盾がアンチコスモスという形をとって表出していることと無関係ではない。そうだとすると、偽装がアンチコスモス的な秩序破壊につながることよりも、我々がそれでもコスモス的な秩序の信奉をやめようとしないということの方が、より大きな問題だと言える。コスモスを信じるからこそ我々はコスモスの全体主義に縛られ、アンチコスモスはそれを解体するために猛威を振るうからだ。

かと言って、我々はコスモスなしに安心して暮らすことなどできない。井筒はそこで、東洋哲学がこのコスモスとアンチコスモスの相剋をどのように調停してきたのかを語る。彼によると、東洋哲学の主流は伝統的にアンチコスモス的立場を取ってきたという。つまり、「空」や「無」といった根源的否定概念を「有」の世界であるコスモスの原点に据え、逆にコスモスを根底から破壊してしまおうとする。典型的には「有は無である」といったような矛盾的表現によって、コスモスの秩序構造の仮象性、無根拠性を暴き立てるのだ。

しかし、「有」の原点に「無」を据えるとは、コスモスの始原にアンチコスモスが、もっと言えばカオスがあるということを明確に自覚することでもある。先にも述べたように、コスモスとカオスは決して敵対するようなものではなく、カオスという場があってはじめてコスモスがあり得たのだった。そのことを自覚するために、東洋哲学は敢えて常識的なコスモス観をアンチコスモスでいったん解体する。そしてそこから、「無」を原点に置いた「柔軟なコスモス」が甦ることを目指すのである。

さて、ここまでかなり抽象的な議論が続いたが、それでは現代の偽装問題に対して東洋哲学的な英知はどのような解決策を提示してくれるのだろうか。そのことを詳しく論じる余裕はないが、そのヒントとして、松岡正剛が「レベッカの横取り」について考える中で「模倣やまねは横取りなのかどうか」という問いを立てていることに注目したい。偽装による横取りが悪徳ならば、模倣やまねもまた、価値の横取りとして禁止されるべきなのか。

松岡は日本文化が一貫して模倣やまねに高い価値を置いてきたという事実に触れて、「擬く（もどく）」ことの重要性、世の中はすべてモドキによってできていることを主張する。つまり、誰かが本物を偽装した、横取りしたと騒ぐ前に、そもそもすべての人やものは何かのモドキ、つまり「擬装」なのだと言い切るのである。

偽装と擬装

偽装はどこまでも凝り固まったコスモスの秩序を前提にして、フェイクなのに本物のフリをする。それに対して擬装は、自らのモドキ性を自覚することによって、ある意味では自由に模倣やまねに専念することができる。そして、擬装は最終的に単なるフェイクやコピーであることを超えて、今までにはなかった価値を生み出すのだ。

現代社会において重要なのは、偽装ではなく擬装を通じてコスモスを「柔軟なコスモス」へと解きほぐすことなのだと言うことができるかも知れない。能の大成者である世阿弥はものまねのことを「物学」と書き、これを芸道の基本に置いている。擬装とは価値を横取りすることではなく、謙虚にまねて学ぶことなのだ。

第17章　暴力とアイディオロジー

「暴力はいけない」という暴力

どこかの小学校のあるクラスで、一人の生徒がいじめに遭っている。いじめと言っても身体を傷つけられたり物を壊されたりはしていないのだが、悪口、陰口、無視、仲間外れなど、非常に卑劣で陰湿なやり口が横行しており、被害者であるその子は耐えがたい精神的苦痛に悩まされている。同級生たちの中には積極的に関与しているように見える者もいれば、後ろめたさを感じつつも救いの手を伸ばすこともできず、消極的な形でいじめを追認してしまっている者もいる。

クラスの誰一人として、このいじめが始まった直接的な原因も、中心的な主犯も、具体的な解決策もわからないままいたずらに月日ばかりが過ぎていく中、いじめられていた生徒は遂に我慢の限界を迎える。いつものように、同級生の一人が心ない中傷を浴びせかけた時のことだった。その子は突如として同級生に詰め寄り、殴りかかったのだ。

まさかの逆襲に驚いたいじめっ子は、バランスを崩して机に頭を打ち、血を流しながら倒れ込んでしまう。教室は騒然となり、事情を聞いて駆けつけた先生は気絶した教え子のことを気遣いつつ、殴りかかった生徒を叱りつける。何でこんなひどいことをしたの！　生徒は自分の名誉のために、これまで受けてきたいじめについて先生に訴えかけるが、それを聞いた先生はこう答えるのだった。たとえそれが本当のことだとしても、なぜ話し合いで解決しようとしないの！　向こうは手を出してないでしょう！　何があっても暴力をふるった方が絶対に悪いに決まってます！　生徒はこうして謝罪と反省を求められることとなり、その後いじめは表面的にはなくなったように見えたが、その子はクラス内でますます孤立するようになる……。

と、まあ、出来の悪い道徳教育の教材のような筋書きで恐縮だが、もしこのような状況が発生した場合、あなたが先生だったら相手に怪我を負わせたこの生徒にどう応答するだろうか。先ほどの先生同様、それでも暴力はいけないと言って叱るだろうか。生徒のこれまでの苦しみに同情して、今回の行為を大目に見てあげるだろうか。それとも、いじめこそが本当の悪なのであり、それに加担した者は誰であれ暴力による報復を受けて当然だと言って、その生徒を擁護するだろうか。

おそらく多くの人々は、心情としては第二の立場にかなり傾きつつも、態度としてはあくまで第一の立場を堅持するのではないかと思われる。いわれのないいじめに遭ってきた生徒はどう考えてもかわいそうな存在であり、暴力に訴えてしまったその気持ちは察するにあまりある。しかしそれでも、同級生に危害を加えていい理由にはならない。どんなにひどいことをされたとしても、暴力をふるっていい相手などこの世にいない。それに、暴力が暴力を呼ぶ負の連鎖は止められない。野蛮な行為に手を染めたら最後、人としての尊厳を失うばかりか、いつかその身を滅ぼすことになる。

このような説明をあれこれ並べ立てながら、第一の立場を選ぶ人々は第三の立場を慎重に斥けようとするだろう。自由な社会に生きる我々は「暴力はいかなる意味でも正当化されない」という公理をそうやすやすと手放す訳にはいかないからだ。しかし、本当にそれでいいのだろうか。生徒が同級生に暴力をふるったことは間違いなく事実だが、この子を徹底的に痛めつけてきたいじめもまた、暴力と呼ぶにふさわしいものではなかったか。そして、もしいじめが暴力の一つの現れなのだとすれば、虐げられてきた子の必死の抵抗だけを暴力と認定して、いじめの陰険な暴力性を覆い隠すことに加担することもまた、極めて暴力的な行為なのではないだろうか。

主観的暴力と客観的暴力

スロヴェニア出身のラカン派マルクス主義者であり、現代思想のスターであるスラヴォイ・ジジェクは、『暴力――6つの斜めからの省察』の中でこのように述べている。

暴力の直接的な現れとしてわれわれが真っ先に思い浮かべるのは、犯罪やテロ、市民による暴動、国家間の紛争である。しかし、われわれに求められるのは、前のめりにならないこと、つまり、このじかに目に飛び込んでくる「主観的」暴力、誰によってなされたかが明確にわかる暴力に目を奪われないことである。われわれに必要なのは、そうした暴力の噴出の背景、その概略をとらえることなのだ。このように一歩身を引いて考えれば、暴力と闘い、寛容をうながすわれわれの努力自体が、暴力によって支えられていることがはっきりする。

これに続けてジジェクは、暴力には主観的暴力以外に二つの客観的暴力というものがあり、主観的暴力はこの中で一番目立つものに過ぎないと主張する。まず、客観的暴力の一つ目は、言語および言語形態に備わっている「象徴的」暴力である。言葉の持つ本源的な暴力性のことだと言うと、「言葉は時に人を傷つける」といったような通俗的な解釈がどうしても思い浮かんでしまうのだが、ジジェクが言いたいのはそういうことではない。非常に簡単に言ってしまえば、言葉が世界のありようを規定してしまう力のことである。この「象徴的」暴力は、言葉を用いて生きる我々人間が抱える業のようなものだと言える。

そして、この「象徴的」暴力と深く結びつきつつも独自の領域を持つ、ジジェクにとって最も警戒すべきもう一つの客観的暴力がある。それは、彼が「システム的」暴力と呼ぶものであり、経済的および政治的システムが円滑に作動している時に破滅的な事態を引き起こすのだという。一体どういうことなのか。

少々図式的過ぎて乱暴な気もするが、ここでジジェクがマルクス主義者であることを思い出してもらうと、「システム的」暴力という言葉で彼が何を指そうとしているのかは容易に想像できるだろう。つまりそれは、経済における資本主義と政治における自由民主主義という、自由主義から生まれた二つのシステムの連合体によって、我々の生が完全に支配されている事態を表しているのだ。だがそこまでなら、ジジェクの主張はそれほど目新しいものでも魅力的なものでもない。より重要なのは、「システム的」暴力には自身を強化するメカニズムが内蔵されているという点である。

彼はこのように説明している。大量殺人やテロのようなあからさまな物理的暴力から人種差別や性差別のようなイデオロギー的暴力にいたるまでの、あらゆる主観的暴力に反対することは、今日の世界で支配的な、寛容を旨とするリベラルな態度においては最優先事項となっているように見える。しかし、主観的暴力にばかり精神を集中して、その他の形態の暴力を覆い隠すことによって、そして覆い隠すという形で実際にはそうした暴力に加担することによって、我々の注意は問題の真の所在からそらされているのだ、と。

リベラル・コミュニストが担う暴力

つまり、ジジェク自身がそう明示している訳ではないが、客観的暴力が「象徴的」暴力と「システム的」暴力に分けられるように、「システム的」暴力もまた二つの側面に分けることができる。一つ目は、資本の論理のように純粋に客観的で匿名的な暴力である。この暴力の形態は、誰か特定の個人にその責任を負わせることができないものであり、ジジェクは「資本主義以前の直接的な、いかなる社会的‐イデオロギー的暴力よりもはるかに不気味なもの」だと表現している。

そして、「システム的」暴力のもう一つの側面は更に手が込んでいる。この暴力にはある程度明確な担い手がいる。それは「寛容を旨とするリベラルな態度」を取る人々である。この人々は単に自分たちが（客観的）暴力の担い手であることに無自覚なだけではない。彼らは何と、誰よりも（主観的）暴力を憎む誠実な人道主義者として行動しているのだ。そのため彼らは、善意の名の下に（主観的）暴力の撲滅と撤廃を掲げて精力的な活動を推し進めてしまい、それによって自らがますます（客観的）暴力の圧制を強化していることに気づかない。ある意味では、前者の「システム的」暴力よりもたちの悪い暴力性を帯びているのだ。

　こうした「システム的」暴力を担っている、寛容でリベラルな人々を代表するのが、「リベラル・コミュニスト」と呼ばれる集団だとジジェクは言う。それは、ビル・ゲイツやジョージ・ソロスのような起業家や投資家、そして彼らを支持する学者やジャーナリストのことを指しているのだが、ジジェクはその性格をわかりやすく示すために、ジャーナリストのオリヴィエ・マルニュイがまとめた「リベラル・コミュニストの十戒」を紹介している。「たんにものを売るのではなく、世界を変えよ」「社会的責任を自覚せよ」「貧しくなって死ね。あなたの富を、それを必要としているひとに返せ」など、かなり戯画化されてはいるが、そこには高邁な理想と旺盛な奉仕精神が充満している。
　しかしジジェクは、間違いなく善良である彼らに対して、それでも幻想を持つべきではないと警鐘を鳴らす。

　リベラル・コミュニストは、主観的暴力とたたかう。だが、その一方で彼らは、主観的暴力の爆発の条件を生み出す構造的暴力の主体そのものでもある。寛大なこころで数百万ドルをエイズ治療と教育に寄付する慈善家は、金融投資を通じて数千人の人生を破壊し、それによって闘いの相手である不寛容の発生の条件を生み出す張本人でもあるのだ。

　ジジェクのこうした主張はあまりにもナイーブでイデオロギー的過ぎるのかも知れない。だが、寛容が「システム的」暴力の絶好の隠れ蓑となり、我々の多くがその構造的な暴力の前に沈黙と隷従を強いられているのもまた、事実であろう。そうだとすると、この閉塞を打破するためには、寛容ではなく、やはり何らかの不寛容が要求されるということなのだろうか。そして、あまりに過剰な暴力に対しては、何らかの暴力が許されるのだろうか。

「システム的」暴力を暴力と呼んでいいのか？

物理的な暴力や差別・ハラスメントのような主観的暴力に反対する一方で、資本主義や民主主義が生み出す客観的で「システム的」な暴力の問題には無自覚な「リベラル・コミュニスト」たち。彼らのように寛容でリベラルな人々が華々しく活躍すればするほど、「システム的」暴力による全体主義的圧制は強化され、我々はその構造に取り込まれていく。そして、この暴力によって人生を破壊された人々は、テロやヘイトといった不寛容で主観的な暴力に身を投じ、ますます世界を不安定にさせていく。「リベラル・コミュニスト」はしかし、自分たちがこうした事態を招いている張本人だということには無自覚なまま、主観的暴力の蔓延に胸を痛めてその廃絶を目指そうと邁進してしまう。

スラヴォイ・ジジェクはマルクス主義の立場からこのような暴力論を展開しているのだが、グローバルな経済・政治システムに対する彼のイデオロギー批判に抵抗を覚える人の目には、ジジェクの議論はあまりにナイーブでどこか歪んだものに映るかも知れない。社会システムが我々に「暴力的」なまでの影響力を及ぼすことは否定しないけれども、それと物理的な暴力などを一緒くたにして暴力と呼んでしまうのは、それこそあまりに「暴力的」なのではないだろうか。ジジェクに対して、こうした疑問が投げかけられても何ら不思議ではない。

特に、「リベラル・コミュニスト」と呼ばれる人々が別に法を犯しているわけではないという事実は、我々に「システム的」暴力を暴力と呼ぶことを躊躇させる。違法行為ではなくても倫理的に非難されることはいくらでもあるだろうが、だからと言ってそれを暴力と呼ぶべきだろうか。そもそも「リベラル・コミュニスト」は、基本的には善良で誠実な人々が法に従って生きているのに、暴力の担い手だと糾弾するのはいくら何でもやり過ぎなのではないだろうか。

このように、ジジェクによって「システム的」暴力とされたものはあくまで合法的であり、取り立てて暴力と呼ぶにはあたらない、という主張には一定の説得力がある。しかしその一方で、この合法性を根拠とした行為の正当化という手口には、どこかしら不正の匂いがつきまとう。それは現実に存在する法規は必ずしも完全ではないからという、実定法の限界の話ではない。依拠する法制度がどれほど適切に整備されたものであったとしても、合法だから、違法ではないからという理由で行為が正当化される時には何らかの欺瞞が潜んでいる。

また、その欺瞞は単なる倫理のレベルの話にも留まらない。合法だからという理由で容認された行為が巡り巡って社会に動揺を与えることになるのであれば、「倫理的にはよろしくないが法には適っている」のではなくて「合法的だが何らかの意味で許されない」と見なすべきであり、そのような行為に与する人々を野放しにはできないからだ。

つまり、暴力と合法性にまつわる問題は、法というものそれ自体に内在する根源的な悪徳の問題だと読み替えることができる。「システム的」暴力が暴力だと名指しされる所以はここにある。それでは、法が持つ根源的な悪とは何なのだろうか。

法的暴力を原理的に批判するベンヤミン

暴力の問題について原理的な問い直しを試みた重要な人物に、ヴァルター・ベンヤミンがいる。文学者、文芸批評家、哲学者などの多彩な顔を持つこのドイツの思想家は、有名な「暴力批判論」という論考の冒頭で、「暴力批判論の課題は、暴力と、法および正義との関係をえがくことだ、といってよいだろう」と述べている。暴力の批判など、「暴力はいけない」の一言に尽きるのではないかとこちらが安直に考えていると、ベンヤミンは法秩序において暴力は法の目的を達成するための手段と見なされるという、よく考えるとギョッとするような事実を指摘してくるのだ。我々は「暴力はいけない」と言いながら、法的手段としての暴力、法的暴力についてはいつの間にかこれを自明視していることに気づかされる。

そうだとすると、暴力批判は「暴力はいけない」という素朴な段階から「行使された法的暴力が正しい目的、つまり法の目的にかなうものかどうか」を問う段階に移行すれば良い、と考えてしまいそうになるが、ベンヤミンはこれも注意深く斥ける。何故ならそれは、暴力が適応される個々のケースを判断する基準の話ではあっても、暴力というものが原理的に許されるものなのかを問う話ではないからだ。暴力を原理的に批判するためには、法そのものを原理的に批判しなければならない、これがベンヤミンの問題意識だと言える。

ここで注目すべきなのは、個人が暴力を手段として用いるいかなる目的をも、近代の実定法は一切容認しないという事実である。言い換えるならば、個人は正しい目的にかなうように見える時でさえも、暴力を振るってはいけないということを意味する。暴力の行使は法によって独占され、法的暴力が持つ目的だけが歴史的に承認されてきた目的だと見なされることとなる。

しかしこれは逆に言えば、法的暴力が承認されるのはそれが正しい目的を持つからではなく法的暴力だからだという、身もふたもないトートロジーに過ぎない。実は、法の起原には正しい目的や歴史的承認に値する根拠などなく、ただ単に自身を法的暴力だと認めさせるに至った暴力が存在しただけなのである。ベンヤミンは、「個人と対立して暴力を独占しようとする法のインタレストは、法の目的をまもろうとする意図からではなく、むしろ、法そのものをまもろうとする意図から説明される」と言っているが、これは法の暴力的起原から言って当然の帰結である。法の枠外にある暴力と法的暴力との間に本質的な差異はないということは、成功を収めた暴力は新たな時代の法的暴力となる資格を潜在的に秘めており、現行法とその法的暴力の地位を失墜させることになりかねないからだ。

ここからベンヤミンは、暴力というものが単なる略奪や破壊の手段などではなく、法を措定する機能と法を維持する機能、この二つの機能を備えていると主張する。つまり、法的暴力は法措定的暴力と法維持的暴力の二つによって構成されていたのである。彼はそれを踏まえて次のように述べている。

手段としての暴力はすべて、法を措定するか、あるいは法を維持する。二つの客語のいずれをも要求しないような暴力は、みずから効力を拋棄しているのだ。したがって手段としての暴力は、どんな場合でも、法一般の問題性を分けもたざるをえない。（中略）つまり法的協定は、当事者たちによってどんなに平穏に結ばれようとも、けっきょくは暴力の可能性につながっている。

暴力を原理的に批判するということは、究極的には法という概念そのものが持ついかがわしさを批判するということに繋がる。こうしたベンヤミンの主張を踏まえた上でもう一度、「システム的」暴力の合法性についての議論を見直すと、「システム的」暴力はやはり一種の暴力、それもかなり厄介な暴力だということが明らかになってくる。

法措定的暴力によって承認された資本主義や議会制民主主義の諸制度は、どれも暴力的起原を持っているにもかかわらず、表面的には寛容でリベラルな人々によって運営されている。しかし、その制度に逆らう者に対しては排他的で容赦のない法維持的暴力を振るうことを自明視する。しかも「システム的」暴力の擁護者たちは、人道主義の名の下に主観的暴力を非難することによって、「システム的」暴力に抵抗しようとする人々を弾圧する法維持的暴力を支援することになるのだ。

イデオロギー的暴力批判の効用

テロやヘイトといった主観的暴力に手を染める者たちに対して過剰な肩入れをすることは禁物だが、彼らを窮地に追い込む「システム的」暴力とその担い手たちの罪を無視することもまた、不誠実だと言わざるを得ない。そして、「システム的」暴力の担い手というのは、何もジジェクが言うところの「リベラル・コミュニスト」に限ったことではないだろう。例えば、コンプライアンスを絶対視して少しの逸脱も許さない人々もそうだ。彼らが危険なのは、思考停止と薄情さが目に余るからではなく、法の暴力的起原を隠蔽し法への健全な批判精神を攻撃するからだと言える。

また、他人の違法行為や問題行動を見つけてはソーシャルメディアなどを通じて拡散し、あたかも「私的警察」のように振る舞う人々もまた、「システム的」暴力の担い手に数えられる。こうした人々の独善的な正義感は、もはやヘイトスピーチのような露骨な暴力と見分けがつかないことすらある。自分たちが法的暴力に晒される可能性があることもわからなくなるほど、「私的警察」諸君は自身の正義を疑わない。何故なら、自分は合法的で正当な行為をしていると思っているからだ。しかし皮肉なことに、その合法的な行為の背後にも暴力がベッタリと貼りついているのだ。

ジジェクとベンヤミンはどちらも、マルクス主義に賛同する立場から「システム的」暴力や法的暴力を批判しているのだが、それは即ち、資本主義や議会制民主主義、自由主義、そして近代国家システムそのものを原理として否定していることを意味する。もちろん我々の多くはこうしたイデオロギーをそのまま鵜呑みにすることはできないだろうし、すべきではないだろう。しかし、イデオロギー対立の時代も遠い過去となった現在、我々は自分たちが置かれている社会構造を批判する確かな評価基準を見失ってしまった。二人の暴力批判は、そんな我々に与えられた叱咤のようなものだと言える。

ちなみに、ベンヤミンは「暴力批判論」の後半で、法的暴力を神話的暴力と呼び替えながら、腐敗した神話的暴力に停止を命じることのできる暴力の可能性を考察し、それを神的暴力と名付けている。彼はそれを、法の暴力性を完全に破壊し尽くすことのできる「純粋で直接的な暴力」「革命的暴力」だと説明するのだが、神的暴力がいかなる形で現象するかについては結論を下していない。もし神的暴力がいかなる神話的＝法的暴力にも堕落しないのだとすれば、ベンヤミンの意には沿わないかも知れないが、それはひょっとすると「笑い」のようなものなのではないだろうか。法やシステムの暴力性を笑い、それらに真っ向から挑もうとする暴力的抵抗すらも笑う、そんな暴力ならぬ暴力を、我々は探し求めていく必要があるのではないだろうか。

第18章　災禍とソシオロジー

歴史の特異点としてのパンデミック

皆さんはふとした時に、アルバムに保存した昔の写真を眺めながら、「そういえばあの時、あんなことがあったな」とか「この頃の自分って、こんな感じだったんだ」などと、感傷にふけってしまうことはないだろうか。ここでいうところの「アルバム」や「写真」の意味が、手で触れられる物体からヴァーチャルなデータへと急速に取って代わられつつある現代であっても、在りし日の情景を切り取った画像を見てその当時を懐かしむ人の心に変わりはないだろう。

こうした感情はしばしば、我々自身のものではない遠い過去の出来事を写し出した画像に対しても向けられることがある。見たこともない街並みやどこの誰だかもわからない人々の生活といった、今では跡形もなく消え去ってしまった見知らぬ過去に、不思議な懐かしさを覚えたことがあるという人も少なくないだろう。記憶というものは、決して自分自身が直接体験した出来事にだけ生まれるわけではない。我々は過去の人間たちの営みを想起し、想像し、そして半ば捏造すらしながら、集合的な記憶または歴史的な記憶を形成していくのだ。

現在を生きる我々もまた、遠い未来の人々にとっては過去の人間となり、我々が写っている画像を見て、彼らもまた不思議な懐かしさを覚えることになるのだろう。しかし、そんな彼らは過去のアーカイブを眺めていて、二一世紀のある時期だけ、懐かしさよりも違和感の方が先立つ画像ばかり出てくることに気づくかも知れない。逆に言えば、この異様な画像を目にすれば、ああこれはいつ撮影されたものだなとすぐに特定できるようになるかも知れない。そう、世界中のどこでも、ある時期の画像だけ、マスクを着用している人々の姿ばかりが写し出されているのだ。

今回の新型ウィルスの世界的な感染拡大、いわゆるパンデミックという現象は、おそらく歴史の特異点として記憶されることになるだろうが、それとは対照的に、ウィルスと同時に様々な聞き慣れない言葉が流行った事実は、忘却の彼方へと消えてしまうだろう。それこそ「パンデミック」そのものをはじめ、「クラスター」「ロックダウン」など、これまでは馴染みのなかった専門用語から、「コロナ禍」「3密」「アベノマスク」などの奇妙な新語まで、我々の日常に次々と登場してきた流行語は、未来人たちにはもはや何を指す言葉なのかわからなくなってもおかしくない。しかし、こうした言葉を使っている現在の我々自身もその意味など深く考えていないのだから、当然と言えば当然の話だ。

ソーシャル＝社交で見えてくるもの

その最たる例が「ソーシャル・ディスタンス」である。日常生活をできる限り維持しながら感染拡大を防ぐ上で、人と人との間に一定の距離を保つことで飛沫を浴びるのを避けるという対策がマスクの着用と並んで重視されているが、それを何故「ソーシャル・ディスタンス」と呼ぶのかについては、もはやあまり省みられることはなくなっている。素直に日本語に訳せば「社会的距離」とでもなりそうなこの言葉、「距離」はまだわかるにしても「社会的」は何ともわかりにくい。それは「ソーシャル」という言葉についてのある誤解に基づいていると言えよう。

そもそも「ソーシャル」とは society の形容詞形 social からきているわけだが、元となっている society には実は、「社会」以外にもう一つ重要な訳語が存在する。それは「社交」である。もう少し詳しく言えば、語の成り立ちからいって「社交」の方こそが society の本来の意味であり、「社会」という意味は後で派生してできたものである。当然、social も「社会的」であると同時に「社交的」と訳すことができるわけであり、「ソーシャル・ディスタンス」とは「社会的距離」というよりはむしろ「社交的距離」とでも訳すべきなのだ。実際、中国語圏の国では既に「社交距離」と訳されていたりする。これを見ると、日本の我々よりもよほど「ソーシャル」の意味をよく理解しているようで、何だか少し情けない気もしてしまう。

更にうるさいことを言うと、日本では「ソーシャル・ディスタンス」という表現が定着してしまったが、英語圏では social distance よりも social distancing という言い回しの方が一般的である。これは distance を「距離」という名詞ではなく、「距離を取る」「遠ざかる」という動詞として捉えていることからきている。こうなってくると、「社交的距離」でさえも最適な訳語とは言えない。social distancing が指す本来の意味内容を汲み取ろうとするならば、ここは「社交において距離を取ること」とでも訳すのがふさわしいだろう。つまり、人付き合いをする際にはしっかり離れましょう、ということを言っていただけなのだ。そんなことならとっくにわかっていたよと言いたくもなるが、それぐらい我々は「ソーシャル」も「ディスタンス」も普段はよく考えもせずに使っているのである。

とにかく、social distancing または「ソーシャル・ディスタンス」は、世界中の人々の合言葉となった。そして、ロックダウンや外出自粛制限が解除されてもなお、人々はなるべく人が密集するような場所やイベントを避け、不要不急の外出を控え、交流を伴う活動に消極的にならざるを得なくなってしまった。ご存知の通り、こうした人間行動の変化は経済活動や文化活動に甚大な悪影響をもたらしてしまうため、感染拡大を防止することがいかに喫緊の課題だとしても、経済を回さなければ感染症になる前に死んでしまうと、多くの人々が悲鳴を上げている。そのため、重要なのは物理的な距離を保つことなのであって人付き合いをやめることではないのだということをアピールするために、social distancing ではなく physical distancing という語を使用すべきだという考えも出てきたのだが、少なくともここ日本ではあまり定着していない。

我々の多くは「社会」人として、「社会」通念に従い、「社会」性を持って行動し、「社会」問題を少しでも解決できるようにと願って生活しているだろうし、少なくとも「社会」を全く無視して暮らしていけるとは考えていないだろう。その一方で、「社交」についてはどうだろうか。SNSを利用する人がこれほど多くなり、人々が交流することができる範囲は人類の歴史上最も拡大しているにもかかわらず、我々はどこかで「社交」という概念を軽視しているのではないだろうか。「社会」は真面目で「社交」は不真面目、「社会」について考えることは本質的で「社交」について考えることは趣味的だという感覚が、どこかにあるのではないだろうか。

しかし実際には、我々の「ソーシャル」な活動が「ディスタンス」によって制約された途端、我々の暮らしは一変し大きな混乱に陥っている。普段は人付き合いを煩わしく思い、できるだけ他人と関わりたくないと個人主義を気取っている人でさえも、これほど大規模に「社交」が縮小してしまうと「社会」全体が機能不全を起こしてしまい、自分たちも巻き込まれてしまうという現実を目の当たりにしていることだろう。パンデミックによってはからずも露呈したのは、「社交」という行為があってはじめて「社会」が成立するのであって、その逆ではないという事実である。我々はこれまで見くびり続けてきた「社交」によって、見事なまでに復讐を受けているのだと言える。

とは言え、パンデミックによるグローバルな混乱が収まる気配を見せないそんな中で、「社交」概念の見直しが必要だと言っても到底納得できないという人もいるだろう。そんなことよりまずは医療体制の整備だ、ワクチンの開発だ、経済的な支援だ、そう考えるのは当然のことである。しかし、我々がこうして医療や政治経済の問題に右往左往しているのも、「社交」の重要性を見失ってしまった結果、近代文明「社会」というシステムに依存しなくては生きていけなくなってしまった、我々の生き方そのものに根本的な問題があるからなのだ。

「社交」復権の時代へ？

「社交」の現代的な意義を考える上で絶対に忘れてはいけない人物に、劇作家で評論家の山崎正和がいる。『柔らかい個人主義の誕生』などの著書でも知られるこの異能の思想家は、『社交する人間――ホモ・ソシアビリス』の中で、「社交」概念についてさしあたってこのような説明をしている。

> ここでそれに定義めいた整理を与えてみると、まず社交とは厳密な意味で人間が感情を共有する

行為だといえるだろう。そこでは中間的な距離を置いて関わりあう人間が、一定の時間、空間を限って、適度に抑制された感情を緩やかに共有する。社交の場では人は互いに親しんで狎（な）れあわず、求心的な関係を結びながらも第三者を排除しない。人びとが社交に集まるとき、彼らは一応の目的を共有するが、けっしてその達成を熱狂的に追求することはない。ともに食べともに技を競い、ともに語って意思を伝えあうにしても、人びとはそうした目的よりも達成の過程に重点を置く。

これを見ても明らかなように、「社交」とは良く言えば中庸だが、率直に言ってしまえば極めて中途半端で煮え切らない行為の積み重ねである。しかし山崎は、現代においては生活の周辺的な営みと見なされ、それどころかどこか鬱陶しいものだとすら思われているこの「社交」が、歴史上のある時代においては人々に仕事以上の義務感を抱かせ、時にはそれのために命を懸けなければならないほどの重要な意味を持っていたと述べる。

特に彼が注目するのが、一五世紀から一八世紀にかけてのヨーロッパ世界における「社交」の興亡である。というのも、この時代のヨーロッパで繁栄した「社交」文化こそがその後の近代文明「社会」を準備したにもかかわらず、皮肉なことに文明「社会」の発展が「社交」を衰えさせたからである。しかしここまでの話ならば、単に過ぎ去った「社交」の時代を懐かしむだけの話に過ぎない。山崎の議論が魅力的なのは、文明「社会」の繁栄が「社会」の自己解体を招きつつある現代は逆に、新たな「社交」復権の時代へと近づいていると見なす点にあるのだ。「社会」が自己解体し再び「社交」の時代が来るとは、どういうことなのか。そして、それは本当なのだろうか。

同じ語源を持つにもかかわらず、「社会」と比べて軽視されがちな「社交」という概念。しかし、パンデミックという未曾有の災禍によって明らかになったのは、「ソーシャル・ディスタンス」によって「社交」が制約された途端、「社会」がいとも簡単に機能不全に陥ってしまうという事実であった。「社交」という行為が「社会」という存在を支えているはずなのに、何故我々は「社交」をここまでないがしろにしてきたのだろうか。

「礼節」から「礼儀」、そして「文明」へ

山崎正和によると、非常に逆説的ではあるがその理由は、「社交」が華々しいまでの成功を収めてしまったからなのだという。ちなみに、「社交」という営み自体はおそらくは人類の歴史とともに始まったと考えられるが、どの地域のどの時代にも栄えてきたというわけではない。近代文明を用意したヨーロッパにおいても、中世末期までは明らかに「社交」が衰えており、上流と呼ぶべき階層の人々でさえも粗野で奔放な生活を送っていた。つまり、「野蛮」な状態だったのである。

状況が変わり始めるのは、いわゆるルネサンスがヨーロッパ世界で起こりつつある頃であった。山崎はドイツの社会学者ノルベルト・エリアスの議論を参照しつつ、このように整理している。一五世紀になると、「野蛮」であった領主たちも小さな宮廷を営み始めるようになっていた。するとそこでは上品な振る舞いが要求されるようになり、そこから「宮廷風」を語源に持つ「礼節」という語が生まれてきた。ただ、この段階ではまだ外形的な作法に過ぎなかった「礼節」は少しずつ内面化されていくようになり、一六世紀には早くも「礼節」の語は廃れ、今度はそれに代わって精神的な人格の洗練を意味する「礼儀（civilité）」という表現が重視されるようになる。

この一六世紀を転回点として、ヨーロッパ世界では急速に感性と精神を洗練させるプロセスが進行

していき、一七世紀のフランス、ルイ王朝の絶対王政下で、豪華絢爛たる宮廷「社交」が絶頂を迎える。宮廷において「礼儀」作法が生活の規範として熟成されると同時に、宮廷に受け入れられた中流階級を通じて「礼儀」の理念が市民社会に広まっていったのだ。しかし、中流階級の台頭は皮肉なことに宮廷作法への批判にも繋がり、「礼儀」の不自然さや大仰さは嘲笑の対象にもなっていく。そして、一八世紀には遂に「礼儀」さえもが時代遅れな言葉となり、望ましい人間性を広く包括する言葉として「文明（civilisation）」という概念が登場したのである。

鍵概念が「礼節」から「礼儀」、そして「文明」へと変遷していく過程は、ヨーロッパにおける「社交」文化の発展と並行していた。「社交」の拡大が人々を外面的にも内面的にも洗練させ、「社交」の場で他者の目に晒され鍛えられた個人たちは、感情や欲望を適度に抑制しながらつかず離れずの距離感で人と交流する術を磨いていった。こうした「社交」文化の中から、近代的な文芸や美術もまた花開いたのである。

「技術」と「社会」の近代

しかし、宮廷に中流階級が参加し、「礼儀」が「文明」へと変遷する時、「社交」は大きな曲がり角を迎えることとなる。「礼儀」とは本来、上流階級の自尊心や優越感の象徴であったわけだが、この作法に触れた中流階級は、「礼儀」を「文明」へと置き換えていく上で、風俗の改善や未開野蛮の克服という優越感は宮廷から借りながら、その内容については彼らの近代的な理想を詰め込むようになる。つまり、法制度や教育の改革、理性に反するものの排除を「文明」の名の下に要求するようになったのである。

これはある意味では、啓蒙主義の理念を育んだのが他ならぬ「社交」であったことを示している。

見かけの上品さよりも内面の温和さが、そして順法意識や秩序感覚、理性的行動が、宮廷という限定的なコミュニティを越えた国民全体に求められるようになり、それを推進するために社会構造そのものを近代化していこうとする考えが、「社交」の発展の中から出てきたのだ。そう言うと、「社交」は華々しい成功を収めたかのように聞こえるが、山崎に言わせればこの成功こそが「社交」の躓きの石となったのである。彼は次のように述べる。

しかしここでエリアスを離れていえば、ほかならぬこの過程が反面では社交の衰退の端緒であり、作法が具体的な内容を失って行った過程だという事実を見逃してはなるまい。というのは礼儀が内面化され、普遍的な順法精神や秩序感覚に変わるということは、とりもなおさずそれが行動の身体性を失うということだからである。見かけの上品さは個人の振る舞いに直接に命令するが、文明化された心は身体にたいして特段の干渉をしない。いいかえれば作法はそれを見る具体的な他人を予想するが、文明的な行動はそのあいてとして顔の見える隣人を必要としない。文明は個人を普遍的に秩序づけられた世界に住まわせるが、それはそのまま社交の緩やかに閉じられた共同体を解体することを意味している。そのうえ文明の合理主義は人間の行動にもつねに有効性を求めるから、目的の観点から効率的でない振る舞いの型には、疑いの目を誘いやすい。こうして礼儀から文明への転換は現実の工業化に先駆けて、ひそかにアルスからテクノロジーへの移行を用意していたといえるだろう。

山崎が言っている「アルス」とは、ラテン語で「わざ」「芸」を意味し、英語の「アート」の語源となった言葉だが、「アルス」から「テクノロジー」への移行とは、「社交」において要求されてきた身体的で具体的で特殊な「わざ」の文化が失われ、身体から外部化されることによって理論へと抽象化され普遍性を獲得した「技術」が決定的に重要だという価値観が浸透していったということを意味している。

その後、人間は合理性や生産性を「技術」を通じて不断に追求するようになり、この目的を達成するためには近代国家や企業に象徴される組織「社会」の確立こそが急務となっていった。文明「社会」とは実は、この組織「社会」のことに他ならず、近代人は基本的に、組織「社会」に順応できる人間、すなわち「社会」人にならざるを得なくなった。その一方で、こうした「社会」を準備したはずの「社交」は、もはや非合理的で非生産的な行為に過ぎないとしてその価値を相対化されてしまったのである。

「文明の再文化化」と新たな「個人」像

ここまでの山崎の議論からは、「わざ－文化－社交」と「技術－文明－社会」との二項対立の構造が容易に見てとれるが、何度も繰り返すように、「社交」の繁栄が「社会」を生み出し「社会」の発展が「社交」を衰退させたという逆説があるということは、この二項が単なる対立ではなく内部で密接に結びついていることを示している。だとすれば、「社会」の繁栄もまた新たな「社交」の形を生み出すのではないかという仮説も成り立つ。

実際に山崎は、グローバル化とポスト工業化を迎えた現代は従来の「社会」関係の解体過程にあると見ている。つまり、国家や企業のような近代的な組織原理によって支えられていた集団が弱体化し、大量生産に代表されてきた「技術」がそこまで必要とされなくなっていくという。もちろん、それは国家や企業が一気に消滅したり、機械工業がこの世からなくなったりするということではなく、むしろEUのような広域秩序の定着やグローバル企業の成長のような拡張運動すら見られるだろう。しかしその現象もまた、従来の「技術 - 文明 - 社会」がこれまで通りの求心力を持ち得なくなっていることの証拠だと彼は捉えている。

それでは山崎は、新たな時代の「社交」がどのような形になると予想しているのか。それは、ボランティアや非政府組織、そしてサービス産業といった、文明「社会」的な組織原理から逸脱した活動によって育まれつつも、我々に帰属感と安心を与えるようなものでなければならないと、彼は述べている。そして、そのような「社交」が成立するためには、人々が組織原理や効率性に縛られない、近代的個人とはまた異なる種の確固たる個人になる必要があるというのである。

このような自立した個人は、これまでの「技術 - 文明 - 社会」を否定するのではなく、外部化されていた環境としてのこれらをもう一度血肉化し直すことで、巧みな「社交」を展開する必要がある。つまり、「技術 - 文明 - 社会」を「わざ - 文化 - 社交」へと再変換するということである。山崎自身の言葉を借りて定式化するならば、近代を通じて進行してきた「文化の文明化」に対して、これからの時代に求められるのは「文明の再文化化」とでも呼ぶべき過程だということとなる。そしてそのためには、まずは個々人の生活意識の変革、そして何よりも自己の身体性への意識改革、つまり「わざ」の習得が不可欠になるというのが彼の見立てである。

彼は確かに現代における「社交」の重要性を説き、その復権の時代を予測しているように見えるが、「文明の再文化化」を達成する新たな個人の確立が必要だと述べているように、「社交」の時代が自動的に到来するとは断言せずそこは少し曖昧なまま言葉を濁している。もちろん、未来予測の歯切れが悪いと言って、この議論の全体が無意味だと評価するのはいかにも乱暴だろう。しかし、彼の言う「文明の再文化化」によって導き出される新たな「社交」のあり方が明確とは言い難い以上、我々はそうそう組織「社会」の原理を手放せそうにない。

「社交」の復権か、「社会」への依存か

そのことを痛感させられるのが、パンデミックによって露呈した現代人の「国家依存」である。長らくの間、グローバル化の趨勢を肯定的に捉える一方で国家という枠組を軽視または批判してきたような人々が、感染拡大の防止や医療体制の確保、そして外出制限や生活保障を求めて手の平を返したように国家の積極的な介入を求めているという事実を目の当たりにすると、我々は「技術‐文明‐社会」のシステムに依存しているどころか、むしろその更なる強化を待望しているのではないかと思えてくる。

我々が「社会」の庇護なしには生きていけない脆弱な存在に転落していくのか、それとも「社会」と上手く付き合う「わざ」を身につけて自立できるのか。それは、ただ画一的に遠ざかるのとは異なる絶妙な「ソーシャル・ディスタンス」の答えを、我々が「社交」の中で見つけ出せるかどうかにかかっている。

終　ミソロゴスの論理

本書ではこれまで、現代社会における重要な論点を提示した上で、どのような思考の道筋をたどれば新たな見通しが開けてくるのか、あれこれと模索してきた。

タイトルの秘密

各回のタイトルはそのような趣旨を端的に示すために、「論点」を表す漢字二文字の熟語と「思考の道筋」を表す"logy"を語尾に持つ英単語を並べた、「○○と□□ロジー」という形に揃えた。「経済とアポロジー」「情報とテクノロジー」「信仰とバイオロジー」といったように。

また、「○○」と「□□ロジー」の組み合わせは意外なものになるよう工夫してきた。もちろんこれは、「経済の問題を考えるのに何故アポロジー（謝罪）が出てくるのか？」「宗教的信仰がバイオロジー（生物学）とどう関わっているのか？」と、皆さんに興味を持ってもらうためではあるのだが、実は「□□ロジー」の方に少し仕掛けがあって、多くの場合はその一般的な用法とは異なる意味で用いてきたのだった。

例えばアポロジーなら「謝罪」ではなく「弁明」という訳語があることに注目して、経済危機から

「ソクラテスの弁明」へと話題を誘導したり、バイオロジーなら、その語の成り立ち（"bio" + "logy"）を利用して、敢えてこれを「生命の論理」と読み替えたりと、「□□ロジー」という語をかなり柔軟に運用している。「情報とテクノロジー」などは一見するとありきたりな組み合わせなのだが、ここでもテクノロジーを「技術」ではなく「技術の論理」と拡大解釈することで、情報化を支える技術の、更にその背後にある思想にこそ問題の核心があることを示そうとしたのだった。「□□ロジー」を読み替えることによって「○○」について考え直す契機を生み出すこと、それが本書の狙いだったのである。

言葉遊びから現代社会を論じる

とまあ、何だか真面目ぶってもっともらしいことを述べてきたが、元々この「○○と□□ロジー」という形式を採用したきっかけは、遊び心というか一種のおふざけからであった。タイトルは簡潔な方が好ましいが、現代社会のキーワードだけが「○○」の形で羅列されているのは面白みがない。かと言って毎回内容を要約したタイトルを付けるのも普通すぎる。そして何より、幅広いテーマについて自由に論じつつただの放談になるのを避けるために、全体を貫く軸みたいなものが欲しい。

これらの悩みを一挙に解決してくれる良い術はないか、と思案していた時にふと頭に浮かんだのが、二つの語を掛け合わせるというアイデアだった。これなら二つの取り合わせが意外であればあるほど気の利いたタイトルにもなる。体裁も整う。しかし、それだけではまだ全体の軸とは呼ぶには弱い気もする。それならば、二つ目のキーワードに何か「縛り」を決めたらどうだろうか。そこで後者を「□□ロジー」に統一することを思いついたのだった。

そもそも英語圏では、単語の語尾に"logy"を付けて「～論」「～学」という意味の造語を作ることが慣習的に行われており、例えば今ここで無理やりudonologyという語を作ったとしても、うどんの存在を知っている人ならばこれがおそらく「うどん論」や「うどん学」を意味するのだろうと容易に想像できるはずである。それならば反対に、既存の「□□ロジー」をわざといつもとは違う風に読み替えてみるのも面白いのではないか。

この手法を使えば、いわゆる「□□ロジー」について専門的な知識を持たなくても、広義の「□□ロジー」に基づいて議論しているのだと言い訳ができる。更には、漢字二文字で表された「○○」という論点だけでなく、「□□ロジー」の「□□」の部分についても、捉え直しが可能になる。「信仰とバイオロジー」で言うと、信仰について見直すのと同時に生命（バイオ）についても掘り下げられるということである。これはなかなか便利なシステムなのではないか。最初はそんな不埒な思いつきから、「○○と□□ロジー」というタイトルを付けることにしたのだった。

システムが確立するとタイトルを決めるのは簡単になる。まずは「○○」と「□□ロジー」のリストをそれぞれ作る。次に二つのリストを並べて、どれとどれを組み合わせたら意外性がありつつも興味を惹くようなタイトルになるかを考える。それと同時に、そのタイトルからどのような議論ができるのかを予想してみる。タイトルとしては奇抜で面白そうだが、そこから特に有意義な議論が引き出せそうにないのならそのタイトル案はボツとなり、また別の組み合わせを試すこととなる。

要するに、「○○と□□ロジー大喜利」とでも呼べそうな言葉遊びが内容に先行しており、むしろこの「大喜利」に合わせて現代社会の何をどのように論じるのかが固まっていくという流れとなっていた。先ほどタイトルの形式が一種のおふざけだったと述べたのは、このことを指していたのである。とは言え、実際には毎回このプロセスをたどって原稿が完成したわけではない。ある時は「○○」について書きたいことがあるにもかかわらず、それと組み合わせる「□□ロジー」がどうしても思いつかないまま見切り発車で書き出さなければならないこともあったし、またある時は「□□ロジー」の解釈変更についてはアイデアが思いついたのに、それと掛け合わせるべき現代社会のテーマは何かと問われると一言で表すのが難しく、「○○」の部分だけが二転三転してしまったこともあった。「○○と□□ロジー大喜利」は、便利な装置にも重い足枷にもなったのだった。

こう書くと、「お前は主張したいこともないままくだらない言葉遊びにばかり興じてきたのか」とお叱りを受けそうだが、それまで想定していなかった視点から様々な事象について柔軟に考えることができたのは、間違いなく「大喜利」の効用であった。社会科学が孕む胡散臭さの正体を探る上で「無知」という概念が重要な鍵を握るのではと気づけたのは、まず「経済とアポロジー」というお題を思いついて、そこから経済学とソクラテスの弁明(アポロジー)を結びつけて論じるというアイデアが出てきたからに他ならない。

本書ではまた、各章につき一人ないし二人の思想家や研究者の著作を参照することも暗黙の決まりとしていたのだが、「○○と□□ロジー」という枠組は、単なる文献紹介に留まらない発展的な議論を導き出す助けとなっていたのではないかと思う。とにかく、言葉遊びでタイトルを決めるという行為は、不真面目なようで意外と真面目な役割を果たしてきたのだった。

ロゴスへの信頼と不信

「□□ロジー」を敢えて読み替え、それを織り込んだ言葉遊びをきっかけにして現代社会を論じていくという、このような方針の背後には、実はロゴスというものに対する信頼と不信が同時に存在している。ロゴスとは「言葉」「言論」「論理」「理性」など幅広い意味を包含するギリシャ語であり、列挙した訳語からも容易にわかるように西洋思想史を貫く最重要概念の一つである。もはや説明するまでもないとは思うが、"logy" の語源もロゴスであり、「□□ロジー」とは「□□のロゴス」のことである。

「□□ロジー」の読み替えが「□□」の部分を根本から見直すことに繋がると考えるのも、言葉遊びで作ったタイトルによって豊かな議論を引き出すことができると考えるのも、まずはロゴスの力を信頼してのことだと言える。一風変わったアプローチから話がスタートしても、論理的な言葉を用いてさえいれば適切な結論へと帰着する、そう信じるからこそ、「○○と□□ロジー」という仕掛けを採用したのだ。それは間違いない。

しかし、ロゴスを信頼するならば、「大喜利」などというふざけた言葉遊びを経由せずに、ひたすら着実な議論を組み立てればいいはずだ。意外性など目指さなくても、「○○」や「□□」に相応しい語り方はいくらでもあるだろう。それにもかかわらず、わざわざ常識を逆撫でするようなやり方を採用したのは何故か。それは率直に言ってしまうと、専門知を構成するロゴスに対して不信感を抱いているからに他ならない。

硬直化したロゴスは、表面的には合理的で正しいことを述べているように見えるが、我々が生きているこの現実を十分に映し出すことができない。それはロゴスが力不足だという場合もあるが、逆にロゴスが美しい理想ばかりを語って現実から遊離してしまうという場合も含んでいる。どちらにせよ、ありのままの現実を捉えられないロゴスに失望しているからこそ、言葉遊びという「ロゴスの悪用」を通じてその欠陥を補おうとしているのだ。

あらためて考えてみると、ロゴスに対する信頼と不信が共存している心理状態は、現代社会に普遍的なものだと言える。現代ほど多くの人々が言論に参加できるようになった時代はないが、それと同時に現代ほど人々が言論の力を信じていない時代もないだろう。ロゴスを濫用しながらもロゴスを信用していない、このような態度はどこか不健全なのではなかろうか。そうだとすると、「○○と□□ロジー」もまた、不健全な企みだったのだろうか。

保守派の論客として活躍した西洋古典学者の田中美知太郎は、その著書『ロゴスとイデア』の中で、ミサントローポスとミソロゴスという二つの言葉を取り上げ、ミサントローポスを「人間嫌い」と訳すならばミソロゴスは「言論嫌い」と訳すことができるであろうと述べている。そして、人間嫌いが不用意に人間を信じることから生まれてくるように、ミソロゴスもまた、安直に言葉を信じることによって生まれるというプラトンの説を紹介している。つまり、ロゴスに対する不信は元々、ロゴスに対する盲目的な信頼によって引き起こされたのだというのである。

それでは、ロゴスを正しく信頼するにはどうすればいいのか。そして、ミソロゴスになることは絶対に許されないことなのだろうか。ミソロゴスにはミソロゴスなりの言い分もあって然るべきなのではないだろうか。

プラトンのミソロゴス論

「言葉」や「論理」などを意味するロゴスという語は、古代ギリシャに始まる西洋の思想的伝統において、一貫して重要な地位を占めてきた。しかし現代の我々は、ロゴスへの盲目的な信頼と根本的な不信が奇妙な形で共存する社会に生きている。どうすれば我々はこのような状況を脱け出し、ロゴスとの健全な関係を回復できるのだろうか。そもそも、ロゴスとの健全な関係とは一体どのようなものなのか。

そのことを考える前にまず確認しておかなければならないのは、ロゴスをめぐる精神的な混乱は何も現代に特有の現象ではないという事実である。その何よりの証拠として、プラトンが『パイドン』の中で、ミソロゴスに言及していることが挙げられるだろう。プラトンの説明を簡単に整理するとこうである。人は不用意に全ての人間を信じて何度も期待を裏切られるうちに、最も親しく思っている人々のうちにさえ不誠実な部分を発見するようになる。そして遂には、誰のことも信じられない上に全ての人を憎むようになる。これをミサントローポスと言う。

そして、ミサントローポスと似たようなことがロゴスについても起こる。他人の言葉をあまりにたやすく信じる人は、一度は本当だと思った言葉が嘘くさく感じられる経験が度重なるうちにどの言葉も信用できなくなり、最終的にはこの世には真実などない、全てのロゴスは無意味なのだと信じるようになってしまうのだ。これがミソロゴスである。ミソロゴスとはつまり、全てのロゴスを信じる態度から全てのロゴスを信じない態度へと振り子のようにスイングすることで生まれる心理であり、遠くプラトンの時代には既にロゴスへの信頼と不信という問題が人々の頭を悩ませていたことがよくわかる。

プラトンによれば、人がミソロゴスに陥るのは用意が欠けているからであり、ロゴスを取り扱う際にはディアレクティケー（問答法）の心得がなければならないという。ディアレクティケーについてここで詳しく説明する余裕はないのだが、要するにロゴスに欺かれたといってそれを憎むのはお門違いであり、哲学的な対話を通じてロゴスを上手く取り扱う訓練が必要なのだ。プラトンはロゴスの重要性を説きつつも、ロゴスを安直に信じることもまた戒めていることになる。妄信するから不信へと転落するのであって、ロゴスをほどほどに信じつつあまり信じすぎない、適切な距離感を保つことが大事だということなのだろう。

しかし、言うは易く行うは難し。それこそ言葉（ロゴス）の上では何とでも言えるだろうが、実際にその「適切な距離感」というのはどうやって測ればいいのか。ロゴスを上手く取り扱うと簡単に言うが、古代ギリシャのまだまだ素朴な社会ならいざ知らず、現代のように膨大なロゴスが氾濫する情報化社会において、我々はディアレクティケーだの何だのにうつつを抜かしている暇などないではないか。

何より重要なことに、ロゴスへの信頼と不信が共存する社会を生きる我々のあり方は、「適切な距離感」とどう異なるのだろうか。我々もまた、プラトンのようにロゴスに対して両義的な眼差しを向けていることに変わりはない。論理性や合理性を追求しながらも、言論がいつも自分たちを欺き騙そうとしているのではないかと疑心暗鬼になっている。これは確かに「適切な距離感」ではない、というのは何となくわかるのだが、それでは我々はどこで道を間違えたのだろうか。

理想を見失う未熟な精神

自らを「古人プラトンの亜流」「旧式なプラトン主義者」と称した田中美知太郎からすれば、その答えは明白だっただろう。それは、我々がイデアを正しく認識していないからである。よく知られているように、プラトンはイデアこそが真に存在するもの、純粋存在であり、我々が日頃当たり前に存在していると思っているあらゆるものは全て、イデアの作り出す影、仮象に過ぎないと考えた。人間はイデアそのものに触れることはできないが、ただロゴスを通じてのみ、イデアの存在を知ることができる。人間のロゴスは不完全で限界のあるものだとしても、人間がイデアとの結びつきを確認するための、唯一の手がかりなのである。

このイデア論はプラトン哲学の核心であると同時に、哲学史における難題でもあり続けてきた。そもそも、プラトンの弟子であるアリストテレスからして真っ向から批判しているほど論争的な説でもある。しかし田中は、多くの人が自分たちはそこから卒業したとして斥けようとするこのプラトンの教えを、頑として擁護し続ける。イデアを空疎な理想だと見なし、現実の世界だけが存在の全てだと言って憚らない人々に対して、彼は『ロゴスとイデア』の「イデア」の章でこのように批判している。

この世のものを全部であると信じている人たちにとっては、自分の人生経験や社会の変動によって、それが有名無実のものに過ぎなかったことを知らされる時、急に眼の前が暗くなって、何も耳目に入らず、何も信じられなくなってしまうであろう。このような絶望がミサントローポス（人間嫌い）やミソロゴス（言論嫌い）を生むのである。彼等はいわゆる現実だけを頼みにしていたから、かえって現実を見ることが出来なかったのである。急に心を鬼にして、世の中を出来るだけ冷酷に見ようとする時、その現実主義はかえって感傷的なものになってしまう。欺かれまいとするが故に、何事も期待しまいと思う。それは始めから絶望することとなのである。

つまり、「ありのままの世界を信じる」とか「この世の全てを受け入れる」といった、一見すると潔いとすら思える「現実主義」とは、田中に言わせれば理想を見失って動転しているだけの未熟な精神なのであり、ミソロゴスとはそんな未熟な精神が生み出したニヒリズムに過ぎないということなのだ。こうしてみると、現代社会においてロゴスへの信頼と不信が共存しているように見えるのも何の不思議もないことがわかる。我々はロゴスを信じているわけでも信じていないわけでもなく、ただ単に理想を喪失してしまっているのである。

ここで言う理想とは、我々の生きるこの地上では決して達成し得ない超越的なものである。世俗で得られるいかなる成功や幸福とも似ても似つかないものである。だからこそ人は、そんな理想を信じられず、現実をそのまま肯定しようとする。しかし、その先に待っているのは現実による裏切りであり、絶望であり、虚無感なのだ。

ミソロゴスを務め上げる

しかし忘れてはならないのは、現実を全て仮象と見なすイデアの理想もまた、ある種の絶望を含んでいるということである。我々がどんなにイデアの存在を信じたところで、理想が現実になる日は来ない。理想はあくまで理想、そして現実はあくまでその影に過ぎないのだ。それではあまりに虚しいのではないだろうか。田中はあくまでそのような考えを否定する。

われわれはさきに、どうしたら絶望しないでいられるかを問題にした。その答としては、何も期待しないこと、何の望みも懐かないこととというのが、一番確実だと考えられた。これは始めから絶望せよ、そうすれば二度と絶望することはないであろうという答である。われわれは現にあるものだけを頼み、感覚的所与（パトス）や社会的所与（ノモス）のほかに何も認めることが出来ないとすれば、このような絶望的なニヒリズムが、われわれの最後に立ちかえらねばならぬ思想の故郷となるであろう。しかしながら、絶望しないために絶望するというのは、問題の解決ではなくて、その断念であり、それ自体が既にひとつの絶望であると言わなければならない。これに対して、イデアの認識は、絶望なしに絶望することを教える。それもまたこの世のいかなるものも、われわれはいつまでもこれを当にすることは出来ないと教える。それは絶望の教えとも言えるであろう。われわれはこれによって、単なる名目に欺かれるようなことをまぬかれるであろう。しかしながら、イデアの教えはこのような絶望の教えに終始するのではない。それが単なる名目に過ぎないようなものを否定するのは、別に真実なるものを絶対肯定するからなのである。

現実ではなく、真実を肯定する。これこそが、自分の実感や社会の慣習に隷従しているだけのニヒリストたちに対する、筋金入りのプラトニスト田中美知太郎の答えなのだが、彼がイデアを認識することを「絶望しないために絶望する」のではなく「絶望なしに絶望する」と表現していることは注目に値する。我々が虚無感を覚えるのは、それが「絶望しないために絶望する」、つまり現実依存からくる逆説的な現実逃避だからである。それに対して、理想こそが真実であると信じることは「絶望なしに絶望する」、つまり現実否定を通じた逆説的な現実直視であり、理想を基準にして正しく現実を認識することを意味する。理想があるからこそ、現実がよく見えるのだ。

田中は巷にはびこる理想主義に対する冷笑と侮蔑を正面から批判し、イデアへの信頼に基づく正しいロゴスの取り扱いを我々に勧める。しかし、ここまで彼の主張を追ってきて気づくことがある。ロゴスと世界の全てをみだりに信じて幻滅し、ミソロゴスに陥るのは確かに未熟な精神だが、だからと言ってミソロゴスの境地を通過することなく理想の重要性に思い至ることなど、果たしてあり得るのだろうか。むしろ、我々はどこかでミソロゴスになるからこそ、ロゴスと自己の関係について考察を深めるきっかけをつかめるのではないだろうか。

奇妙な言い方になるが、我々はミソロゴスにならないように努めるのではなく、きちんとミソロゴスを務め上げることが求められている。慣習的なロゴスのあり方を疑いつつも、ロゴスの潜在的な力を信じる。絶望なしに絶望し、信じることなしに信じる。「○○と□□ロジー」という言葉遊びは、その一つの試みだったと言える。それは、ありのままの現実を捉えるための遊びであり、理想を語ることを取り戻すための遊びでもあったのである。

引用・参考文献

序

中村雄二郎・山口昌男『知の旅への誘い』岩波新書　一九八一年
山口昌男『「挫折」の昭和史』（下）岩波現代文庫　二〇〇五年
山口昌男『「敗者」の精神史』（下）岩波現代文庫　二〇〇五年

第1章

森政稔『迷走する民主主義』ちくま新書　二〇一六年
デカルト　谷川多佳子訳『方法序説』岩波文庫　一九九七年

第2章

中野信子『サイコパス』文春新書　二〇一六年
マーサ・スタウト　木村博江訳『良心をもたない人たち』草思社文庫　二〇一二年

第3章

川上高司編著『「新しい戦争」とは何か——方法と戦略』ミネルヴァ書房　二〇一六年
小林雅一『ＡＩが人間を殺す日——車、医療、兵器に組み込まれる人工知能』集英社新書　二〇一七年

第4章

ハジュン・チャン　田村源二訳『世界経済を破綻させる23の嘘』徳間書店　二〇一〇年
プラトン　納富信留訳『ソクラテスの弁明』光文社古典新訳文庫　二〇一二年

第5章

松村圭一郎『うしろめたさの人類学』ミシマ社　二〇一七年
村上泰亮『文明の多系史観――世界史再解釈の試み』中公叢書　一九九八年

第6章

広井良典編著『福祉の哲学とは何か――ポスト成長時代の幸福・価値・社会構想』ミネルヴァ書房　二〇一七年
末木剛博『日本思想考究――論理と構造』春秋社　二〇一五年

第7章

山本七平『「空気」の研究』文春文庫　二〇一八年

第8章

濱田耕作『通論考古学』岩波文庫　二〇一六年

第9章

中野明『ＩＴ全史――情報技術の２５０年を読む』祥伝社　二〇二〇年

マルティン・ハイデッガー　関口浩訳『技術への問い』平凡社　二〇一三年

第10章
マイケル・ポランニー　高橋勇夫訳『暗黙知の次元』ちくま学芸文庫　二〇〇三年
郡司ペギオ幸夫『天然知能』講談社選書メチエ　二〇一九年

第11章
田中久文『日本美を哲学する――あはれ・幽玄・さび・いき』青土社　二〇一三年

第12章
苫野一徳『「学校」をつくり直す』河出新書　二〇一九年
細谷功『アナロジー思考――「構造」と「関係性」を見抜く』東洋経済新報社　二〇一一年

第13章
日高敏隆『ネコの時間』平凡社　二〇一七年
上田閑照編『西田幾多郎哲学論集Ⅲ――自覚について　他四篇』岩波文庫　一九八九年

第14章
市原真『いち病理医の「リアル」』丸善出版　二〇一八年
中村雄二郎『術語集――気になることば』岩波新書　一九八四年

神島裕子『正義とは何か――現代政治哲学の6つの視点』中公新書　二〇一八年

第15章

酒井智宏『トートロジーの意味を構築する――「意味」のない日常言語の意味論』くろしお出版　二〇一二年

第16章

松岡正剛『擬　ＭＯＤＯＫＩ――「世」あるいは別様の可能性』春秋社　二〇一七年

井筒俊彦『コスモスとアンチコスモス――東洋哲学のために』岩波文庫　二〇一九年

第17章

スラヴォイ・ジジェク　中山徹訳『暴力――6つの斜めからの省察』青土社　二〇一〇年

ヴァルター・ベンヤミン　野村修編訳『暴力批判論　他十篇　ベンヤミンの仕事1』岩波文庫　一九九四年

第18章

山崎正和『社交する人間――ホモ・ソシアビリス』中公文庫　二〇〇六年

終

田中美知太郎『ロゴスとイデア』文春学藝ライブラリー　二〇一四年

引用はしていないが本書を執筆する上で参考にした文献

井筒俊彦『意識と本質――精神的東洋を索めて』岩波文庫　一九九一年
上田閑照『私とは何か』岩波新書　二〇〇〇年
佐伯啓思『西欧近代を問い直す――人間は進歩してきたのか』ＰＨＰ文庫　二〇一四年
佐伯啓思『２０世紀とは何だったのか――西洋の没落とグローバリズム』ＰＨＰ文庫　二〇一五年
野田宣雄『歴史をいかに学ぶか――ブルクハルトを現代に読む』ＰＨＰ新書　一九九九年

あとがき

あれは二〇一七年の初夏のこと。ミネルヴァ書房の編集者である堀川健太郎さんから「先生の初めての御本を、是非うちで出させてください」というオファーをいただいたのが、全ての始まりだった。これといって実績のない自分には身に余るほどありがたい話ではあったが、いったい何を書けばいいのか。堀川さんは、専門的な研究書というよりはむしろ、一般向けの読み物、例えば現代社会のキーワード論集みたいなものはどうかと言う。まずは広報誌での連載という形でコツコツ書き溜めていき、後でそれを一冊にまとめることとなった。

そういうわけで、ミネルヴァ通信「究」の二〇一八年四月号から二〇二一年九月号にかけて、「現代社会をみる論理」というタイトルで連載が行われたのだが、本書はその内容を加筆修正・再構成したものとなっている。それにしても、連載を始めた当初はこれほど長くこの仕事に携わることになるとは夢にも思っていなかった。自分で勝手に決めたルールとは言え、「〇〇と□□ロジー」の形式に統一された章が目次に一八も並んでいるのを見ると、ささやかな達成感を覚えると同時に少し呆然としてしまう。ちなみに各章は連載時には前後編に分かれていたので、本編だけで三六ヶ月、つまり三年もの間「〇〇と□□ロジー」と格闘してきた計算になる。その分、現代社会論としては必須のテーマから少し意外なものまで、幅広く論じられたのではないかと思う。

また、先述した連載期間を見ていただけばすぐおわかりのことかと思うが、連載の途中で世界的なパンデミック（いわゆる「コロナ禍」）が発生し、我々の生活は予期せぬ変化を強いられることとなった。当然ながらその影響は本書にも及んでいる。執筆作業が長期に渡ったのもその一つと言えるだろう。しかし、文章の中でこの歴史的な異常事態に直接言及することは極力控えた。これは、時事的な話題を取り上げてもその切迫感がすぐに風化してしまうからというのもあるのだが、パンデミックほどの特異点さえも巨視的に俯瞰して捉えることを本書では目指したからというのが理由としては大きい。

唯一の例外として「災禍とソシオロジー」の章ではパンデミックを正面から扱ったが、これも数年単位の「現代」の問題ではなく、数十年、いや下手をすれば百年単位で見た「現代」の問題を浮かび上がらせるためであった。こうした問題意識を反映して、一見するとパンデミックに言及することに消極的だったのとは対照的に、食品偽装問題やリーマンショック、トランプ現象などの話題については時事ニュースとしての「遅さ」にあまり顧慮せず取り上げることとした。連載当時でさえも既に旧聞に属する事柄ではあったが、本書が考える「現代」のスパンからすればむしろその同時代性に注目すべきであり、何よりこれらの話題を単に過ぎ去ったものとして捉えることこそが、現代社会を生きる我々の悪癖だと言えるからだ。

そう考えると、本書のタイトルにもある「ておくれ」という時代認識は、過去に対して複眼的な視点を持っていることを意味している。つまり、深刻な危機を回避できるタイミングはとっくに過ぎ去ってしまったのだと認める一方で、その危機が我々にもたらした思想問題の重要性は決して過ぎ去ってなどいないと気づくからこそ、我々は「ておくれ」を痛感するのだ。このような「ておくれ」の意識を共有してくれる人が少しでも現れてくれたらと願わずにはいられないが、もし本書が遠い未来の誰かに読まれてその人が「ておくれ」を感じたとしたら、それは果たして喜ぶべきことなのか悲しむべきことなのか、よくわからない。しかし我々は皆、そこから歩みを進めるしかないのだろう。

思えば、時代の変化に対して常に警戒を怠らず、それと同時に、時代を越えて通用する価値とは何かを探究し続けるという、こうした思想的態度の重要性を「文明論」という語り方を通じて教えてくださったのは、他でもない佐伯啓思先生であった。大学に入学したばかりの頃、お世話になっていた先輩の勧めで先生のゼミを受講した時は、まさか自分がその後大学院に進学し、それも先生の研究室に所属することになるとは夢にも思わなかった。先生と出会って早くも四半世紀の時が経とうとしているが、その学恩に報いるようなことは何一つできていない。それどころか、不惑を過ぎた今も、先生に一方的にお世話になってばかりの不肖の弟子のままである。本書の上梓が恩返しになるとは到底思えないが、せめてここで感謝の言葉を捧げさせていただきたい。先生、いつも本当にありがとうございます。あと、初めてお会いした頃、高名な先生とも知らず「おもろいおっちゃんやな」と思ってすみませんでした。今もそう思っています。

本書を上梓できたということで言えば、編集者の堀川健太郎さんには感謝しても感謝しきれないことは言うまでもない。連載中、なかなか筆の進まない自分に対して、堀川さんは粘り強く堪えてくれたばかりか、常に的確なアドバイスを与えてくださった。それにもかかわらず、こちらは厚意に甘えてわがままや無理難題を押しつけてばかりだった。堀川さんには申し訳ない気持ちでいっぱいである。

心からお詫びとお礼を申し上げたい。また、連載の終盤には、急病の堀川さんに代わって冨士一馬さんに編集をお願いした。コロナ禍ということもあり、冨士さんとはメールでのやり取りばかりで結局一度もお会いすることはなかったが、冨士さんなくしてこの連載は完結しなかった。本当にありがとうございました。

最後になるが、家族や友人をはじめ、大勢の人々に支えられてきたからこそ、ここまでやってくることができた。ひとりひとり名前を挙げることは控えるが、これまでお世話になった全ての皆さんに感謝を捧げたいと思う。中には既にこの世を去ってしまった人もいる。もはや恩返しすることも叶わないけれど、決して忘れることはない。これからもずっと。

二〇二三年十月

中島啓勝

人名索引

あ 行

アガンベン　166
アナクシマンドロス　59
アリストテレス　243
市原真　175-177, 180, 186
井筒俊彦　206-209
エリアス，ノルベルト　229, 231
エリザベス二世　51, 52
オイラー，レオンハルト　45, 46
大西克礼　141-147
オバマ，バラク　41

か 行

カイレフォン　60
各務支考　144, 145
神島裕子　183, 185
川上高司　42
川島武宜　74
九鬼周造　141
クラウゼヴィッツ　40, 49
郡司ペギオ幸夫　132-136
ゲイツ，ビル　216
小林雅一　47

さ 行

酒井智宏　189-194, 196, 197
サンデル，マイケル　183
ジジェク，スラヴォイ　213-218, 221, 222
ジラール，ルネ　202
スウィフト，アダム　185
末木剛博　84, 85
スタウト，マーサ　28, 29
スノーデン，エドワード・ジョセフ　48
ソクラテス　56-62, 171, 236, 238
ソロス，ジョージ　216

た 行

田中久文　141, 146, 147
田中美知太郎　240, 242-245
タレス　59
チャン，ハジュン　52-57, 62
デカルト　22-26, 172
デューイ，ジョン　159
苫野一徳　154, 155, 158-160
トランプ，ドナルド　41, 55

な 行

中野明　115, 116
中野信子　27-30
中村雄二郎　4-6, 178
ナジタ，テツオ　80
西田幾多郎　170-174
二宮尊徳　80-85
納富信留　59-61
ノージック，ロバート　183

は 行

バーク　24
パース，チャールズ　156, 158, 159
ハイデガー，マルティン　119-123
ハス，リチャード　42
ハッキング，イアン　65
バビアク，ポール　30

濱田耕作　105-108, 110
ピートリー，フリンダース　106-111
日高敏隆　163-165, 172
広井良典　78-82
福住正兄　82
ブッシュ，ジョージ・W　41, 56
プラトン　57, 61, 62, 240-243
ペリクレス　58
ベンダサン，イザヤ　93
ベンヤミン，ヴァルター　218-220, 222
細谷功　156, 157
穂積八束　72
ポランニー，マイケル　127-132, 134, 135

ま　行

松岡正剛　202, 204, 210
松尾芭蕉　138, 139, 142, 143, 145
松村圭一郎　63-67
マルニュイ，オリヴィエ　216
丸山真男　73
三木清　178-181
村上泰亮　70, 72
モリス，ウィリアム　147
森政稔　15, 16

や　行

柳宗悦　147, 148
山口昌男　4, 9-12
山崎正和　227-229, 231-233
山本七平　93-98, 100
米盛裕二　156

ら　行

ラスキン，ジョン　147
ラムズフェルド，ドナルド　56, 62
ルソー　183
ロールズ，ジョン　79, 181-185
ロック　183

事項索引

あ 行

『IT 全史』　115, 117
アウトノミー　147
アグノイア　61
あそび（遊び）　144, 246
新しい戦争　41-44, 46, 49
『「新しい戦争」とは何か』　42
アナログ　117, 150-153
アナログ情報技術　116
アナログの知　153-155, 160
アナロジー　155-159
『アナロジー思考――「構造」と「関係性」を見抜く』　156
あはれ　141
アブダクション　156-159
アポロジー（弁明）　54, 56, 57, 60, 62, 235, 238
アマティア　61
アンチコスモス　207-209
暗黙知　127-132, 134-136
イエ　70-72, 74
イエ社会　70-73
いき　141
生きる論理　163-167, 169, 172, 174
維持　176-178, 180, 186
遺跡　102-112
『いち病理医の「リアル」』　175
イデア　242-245
イデア論　243
イデオロギー　36, 70, 92, 93, 169, 178, 179, 215-217, 222
ウジ社会　71-73
『うしろめたさの人類学』　63
『AI が人間を殺す日』　47
エートス（気質）　77, 164
演繹（ディダクション）　156, 157

か 行

開蔵　120, 123
カオス　206-209
科学　24, 169
科学技術　120
科学的　30
科学的分析　92
『「学校」をつくり直す』　154
監視社会論　49
議会制民主主義　221, 222
技術　115-122, 149, 152, 232-234, 236
技術革新　46
技術的　150
技術への思い　119
偽装　204-206, 208-210
偽装工作　203
帰納（インダクション）　156, 157
虚実　143-146
キリスト教道徳　30, 31
近代　7, 8, 74, 92-94, 100, 219, 233
近代以前　98
近代化　70, 71, 99, 154, 231
近代科学　100, 122, 130, 131, 135, 168, 169
近代合理主義　22, 92
近代国家　69, 70, 72, 73, 232
近代国家システム　222
近代社会　78, 92

近代人の病　112
近代的　76, 92, 117, 121, 230, 232
近代的個人　233
近代的個人主義　81, 92
近代的精神　22
近代日本（近代の日本）　9, 10, 94, 99, 100
近代文明　229
近代文明「社会」　227, 228
空　209
空気　93-100
『「空気」の研究』　93-95
空気の支配　97
経済成長　33-36, 52
啓蒙主義　230
啓蒙主義者　96, 97, 100
啓蒙主義的論理　98
現代社会　1, 2, 10, 12, 31-34, 79, 122, 181, 201, 235-238, 240, 244
現代社会論　3, 5-9
権利　106, 108-112, 184, 197, 204
公共心　16, 68
『考古学の研究法とその目的』　106
公正　18, 182, 183, 193
構築主義　65, 66
公平さ　64
合理主義　99, 231
合理性　55, 56, 84, 232, 242
合理的　55, 59, 121, 239
合理的思考　62
合理的推論　92
合理的知識　60
互助　77, 79, 80, 85
個人主義　78, 227
個人主義的　36
コスモス　206-210
「コスモスとアンチコスモス」　206
コスモポリタニズム　183
固定倫理　100
コミュニタリアニズム　79, 183
コンプラ　205, 208
コンプライアンス　200, 205, 221

さ　行

『サイコパス』　27
サイコパス　27-34, 37, 38
挫折　9, 10
『「挫折」の昭和史』　9
さび　139, 141-148
死　148, 165-172, 174
自覚　8, 12, 56, 57, 61, 85, 86, 109, 170-173, 194, 209
自己矛盾　170-174
自己矛盾的性格　208
自己矛盾的存在　170, 172
「システム的」暴力　214-218, 220-222
自然　80-83
自然科学　22, 99, 133
自然知能　132-135
自然哲学　59
自然哲学者　59, 62
実証科学　91, 92
死の自覚　171, 172
資本主義　16, 19, 20, 36, 54, 214, 215, 217, 221, 222
市民社会論　67, 68
社会科学　62, 91, 92, 238
社交　225-234
『社交する人間――ホモ・ソシアビリス』　227
正義　181-184
自由　15, 18, 30, 48, 55, 56, 76, 92, 98, 158, 159, 182, 184, 207
宗教　147, 168-171, 173

宗教的　21, 138
宗教的信仰　235
自由さ　144, 145
自由市場資本主義　54
自由市場主義（新自由主義）　54, 55, 57, 78, 81
自由主義　214, 222
自由民主主義　214
『術語集』　178
情況倫理　98-100
「象徴的」暴力　214, 215
情報　114-116, 119, 122, 123
情報技術（IT）　48, 117-119, 122, 130, 131, 135
情報技術化　123
シルバー民主主義　36
信仰　7, 80, 81, 83, 84, 136, 138, 168-171, 173, 174, 235, 237
信仰者　100
人工知能（AI）　47, 118, 130-135
真実　201, 241, 245
新自由主義的経済政策　78
新自由主義的政策　16, 20
神的暴力　222
人文社会科学　65
進歩　7, 93, 148
進歩主義　92
真理　23, 61, 120, 122
神話的暴力　222
数値　34, 151-153
数値化　6, 34, 155, 159, 160
数値目標　35
生　6, 7, 75, 123, 129, 148, 155, 166, 168, 170, 173, 174, 214
正義　181, 182, 184, 219, 221
『正義とは何か』　183, 185
『正義論』　181, 183
正義論　181, 183-186
『正義論 改訂版』　183
成長主義　32-37
西洋近代　66, 99, 148
西洋近代社会　147
西洋近代的　99
西洋社会　140
世界金融危機　51-55
『世界経済を破綻させる23の嘘』　52, 54
絶対矛盾　172-174
戦後史　40
『戦争論』　40
『相互扶助の経済』　80
創造　136
創造性　5, 131, 134, 157, 158, 160
創造的　5, 157-159
ソーシャル・ディスタンス　224-226, 229, 234
『ソクラテスの弁明』　57
ソクラテスの弁明　236
ソフィスト　58-60, 62
ソフトパワー　42
『存在と時間』　119

た　行

体系性　5, 6
タイムカプセル　101, 102, 108, 111
脱成長　36, 37
〈知〉　4
知　66, 103, 121-123, 127, 128, 131-136, 153, 168
知恵　60
『知の旅への誘い』　4, 6, 9
挑発　121, 123, 124
『通論考古学』　105, 106, 108
ディアレクティケー　242

テクネー　120–122
テクノロジー　21, 152, 232, 236
デジタル　117, 118, 149–152, 154
デジタル情報技術　115–118
デジタルの知　153–155
『天然知能』　132
天然知能　133, 134, 136
道義的　50
同時多発テロ　41
道徳　24, 25, 29, 106, 108
道徳感覚　201
道徳教育　212
道徳的　23, 182
道徳的義務　106, 107, 110
道徳的生活　24
道徳論争　183
東洋思想（東洋の思想）　84, 85
東洋哲学　206, 209, 210
トートロジー　188–198, 219
『トートロジーの意味を構築する』　189
トポロジー　43–46, 50

な　行

ナショナリズム　183
『二宮翁夜話』　82
ニヒリスト　245
ニヒリズム　244, 245
『日本人とユダヤ人』　93
日本人論　93–95
日本の思想　89
『日本美を哲学する——あはれ・幽玄・さび・いき』　141
日本文化論　91, 95
人間中心主義　83, 170
人間の論理　166–170, 172, 173

は　行

ハードパワー　42
敗者　9–12
『「敗者」の精神史』　9, 10
『パイドン』　241
「場所的論理と宗教的世界観」　170
パソロジー　180, 181, 186
パックス・アメリカーナ（アメリカの平和）　41
パトス　178–181, 184–186, 245
パトスの学　180, 181
パトロギー　178–180
パンデミック　224, 227, 229, 234
パントノミー　147, 148
美　138–140, 143, 147, 148
美意識　139–141, 143, 146, 148
非科学的　96
美的本質　146
ヒトの論理　166–170, 172, 173
公正　181
フェイク　201, 204, 205, 208, 210
フェイクニュース　201, 205
不易流行　143, 145, 146
フェミニズム　183
福祉　76–79, 81, 86
福祉の哲学　79–81, 85, 86
『福祉の哲学とは何か——ポスト成長時代の幸福・価値・社会構想』　78
不知　61, 62
プラグマティズム　159
文化決定論　90, 91, 93, 94
文化論　90, 94
分析知　128–132, 135
文明（civilisation）　71, 107, 112, 230–234
文明化　231

文明原理　73
『文明としてのイエ社会』　70
平和主義　40
ヘテロノミー　147
弁論術　58, 59, 62
法維持的暴力　220, 221
包括的存在　128, 129, 131, 132, 134, 136
法措定的暴力　220, 221
法的暴力　219, 220, 222
『方法序説』　22, 23
「暴力批判論」　219, 222
『暴力——六つの斜めからの省察』　213
ポスト・トゥルース　201, 204
ポスト冷戦　41
ポピュリスト　31
ポピュリズム　19
本質　65, 90, 145–147, 158
本情風雅　143, 145, 146

ま　行

ミサントローポス　240, 241, 243
ミソロゴス　240–244, 246
民主主義　15–20, 25, 26, 69, 70, 97, 99, 217
民主派　58
無　209
無知　57, 61, 62, 238
無知の知　61, 171
『擬　MODOKI——「世」あるいは別様の可能性』　202

や　行

『柔らかい個人主義の誕生』　227
有　209
幽玄　141
ユニラテラリズム（単独行動主義）　41
欲望　16, 24, 25, 111, 112, 179, 230

ら　行

ラディカル意味論　190, 191
ラディカル語用論　190, 191
理性　7, 24, 172, 230, 239
理性的　179
リバタリアニズム　183
リベラリズム　79, 181–186
リベラル　36, 37, 215–217, 221
リベラル・コミュニスト　216–218, 221
『良心をもたない人たち』　28
倫理　29, 81, 100, 181, 218
倫理上　197
倫理的　179, 193, 198, 217
倫理的行為　64
冷戦　40, 119
冷戦体制　39
学問　164
ロゴス　124, 178–181, 184, 186, 239–244, 246
『ロゴスとイデア』　240, 243
論理　43, 44, 46, 71, 74, 98–100, 111, 155, 157, 159, 163, 164, 167, 215, 236, 239, 241
論理学　158
論理的帰結　85
論理性　82, 242
論理的　239

わ　行

わび　139, 143
わびさび　139–143, 148

《著者紹介》

中島啓勝（なかじま・よしかつ）

1979年　生まれ。
　　　　京都大学大学院人間・環境学研究科博士後期課程研究指導認定退学。
現　在　京都文教大学・龍谷大学非常勤講師。
主　著　「「京都学派」の歴史哲学における下村寅太郎の位置付け」『社会システム研究』(12)，2009年。
　　　　「絶対無の共同体とその善性——西田幾多郎とベネディクト・アンダーソンの比較を中心に」『社会システム研究』(15)，2012年。
　　　　「京の視座」(『朝日新聞』京都版，2016年11月～2018年6月連載)，ほか。

叢書・知を究める㉔
ておくれの現代社会論
——〇〇（マルマル）と□□（カクカク）ロジー——

2024年2月20日　初版第1刷発行　〈検印省略〉

定価はカバーに
表示しています

著　者　中　島　啓　勝
発行者　杉　田　啓　三
印刷者　田　中　雅　博

発行所　株式会社　ミネルヴァ書房
607－8494　京都市山科区日ノ岡堤谷町1
電話代表（075）581－5191
振替口座 01020－0－8076

創栄図書印刷・新生製本

ISBN978-4-623-09661-9
Printed in Japan